青春文庫

玄関から始める
片づいた暮らし

広沢 かつみ

青春出版社

はじめに――玄関に、住んでいる人の顔、その家の質が見えます

住まいが大きくても、収納スペースがたくさんあっても、モノが溢《あふ》れて片づかないお宅がいっぱいあります。

逆に狭い住宅でも、家族が多くても、すっきりとした空間で暮らしている家族もいます。その違いはなんでしょうか。

私が片づけに呼ばれて伺うほとんどの家では、玄関からモノが溢れています。玄関はきれいで、その他の部屋はすべて散らかっているという住まいは、見たことがありません。

玄関にモノが溢れている、散らかっているということは、その奥にあるリビングや寝室、いたるところがすべて散らかっているはずということです。

玄関だけが散らかっていて、他がきれいというのは考えられないからです。

そして、必ずと言っていいほど「小さい頃から片づけが苦手で……」「親も片づけが下手だったから」と言います。

「片づけ」は、後始末です。自分が出したモノを元に戻す行為。じつは、ただそれだけです。

幼稚園や小学校などで子ども達は、それぞれの授業が終わったら、使った道具をきちんと片づけています。それなのに、家ではできない、または、自分の部屋をもってからできない。そんなことはないはずなのに——。

それは、家の中にしまう場所を確定していないか、収納スペースから出したモノじゃない、新たなモノが加わっているから。購入したモノ、もらったモノ……しまう場所を決めずに買ったり、もらったりして、置きっぱなしになっているからなのです。

片づけが苦手、上手くできないのは、当たり前のことです。

人は誰しも得手、不得手があり、学生時代の勉強と同じで、国語は得意だけれど数学はちょっと……というように、片づけが得意な人、苦手な人がいていいと思います。

学校で、先生が変わると、苦手な科目も理解しやすくて得意になるということがあります。

それと同じように、自分にあったやり方やコツをつかんで、片づけを得意な科目にしていけばいいのです。得意ではなくても、普通で十分だと思います。

まずは、「玄関」をきれいに片づけて、毎日維持するように意識する。

自分で片づけができないと思い込んでいたあなたが、玄関だけはいつもすっきり、きれいが続いている。たったそれだけで、自分が苦手だと思っていた片づけに対して自信が付き始めると思います。

その自信が、他のスペースに広がっていくのです。

数学が苦手だったのに、方程式を一つ自分で解くことができた。じゃあ、次にもう少し難しい方程式に……というように。

数多くのセミナーや講演会、講座を行ってきてハッキリと言えることは、開始前と開始後では皆さんの顔が違うということ。「早く家に帰って片づけたい！」とイキイキとした表情でおっしゃいます。皆さん、とてもいい笑顔です。

また、片づけを依頼された方のお宅を訪問すると、初回は所在なさげに「こんなところに来てもらってすみません」と必ず謝られます。

でも、一緒に片づけを行い（私はできるだけ、今後自分でできるように定期的に通って一緒に片づけをしながらコツをつかんでもらうようにしています）、ある程度きれいになっていくと、自分で進められるようになり、毎回訪れる度に表情が明るくなっていくのがわかります。

片づけも、「私はできない」という一種のコンプレックスだったのかもしれません。

ですから、片づけに悩んでいて、私のセミナーや講座にこられない方にも、私が片づけに伺えない方にも、同じようにイキイキとした表情になってもらいたいと、「玄関」から始める片づけのコツを教えます。

できるところから手をつけて、無理をしない。片づけは、一生ついて回る作業ですから、ゆっくりと長く続くように。

そして、「この本に出会ってよかったな」と思っていただければ嬉しいです。

目次

第1章 家で最も大事な場所。それが「玄関」です 19

CONTENTS

CONTENTS

CONTENTS

CONTENTS

第6章 リバウンド知らずの、ちょっとしたヒント

CONTENTS

カバー写真	Cafe Racer /shutterstock.com
本文イラスト	KANAE SHIBATA
本文デザイン	浦郷和美（Dir. 森の印刷屋）
企画協力	糸井　浩

第1章

家で最も大事な場所。それが「玄関」です

幸せの入り口、玄関を大切にしていますか？

大正生まれの母方の祖母は、主婦（といっても、ずっと夫婦で仕事をしていたので、50歳から専業主婦）の鑑《かがみ》のような女性でした。

私が小学校に上がるまで近所に住んでいた祖父母の家の中は、いつも片づいており、掃除も行き届いてきれい。キッチンのガスコンロ周りなんかも、常に新品同様の状態。子どもの頃は、家の中がきれいなのは当たり前だと思っていました。

そんな祖父母の家に泊まると、祖母は、夜になればきれいに玄関を掃《は》いて、引き戸を閉めて、鳥かごに布を掛《か》け、朝になると鳥かごの布をとり、餌《えさ》と水を取り換え、玄関の戸を開けて換気をし、三和土（たたき＝玄関で靴を脱いだり履いたりするスペース）に水を撒《ま》いて掃いていました。

祖母に、日中も玄関掃除をしているのに、どうして朝と晩にまた玄関掃除をするのかを尋ねたことがあります。
朝は、空気を入れ替え、夜に出たほこりを払い、気持ちよく出かけられるように。そして、幸せの神様が気持ちよく入ってこられるように。夜は、一日の終わりをきれいに、そして今日も一日何事もなくありがとう、という感謝を家にしている……というような答えが帰ってきました。

今思えば、祖父母はいつも穏やかで、晩年は幸福な人生だったと思います。玄関をはじめとした住まいをきれいにする習慣と感謝の気持ちが、穏やかな心理状態を作っていたのでしょう。

また、旅行などで家を空けるときに祖母は、必ず家の中をいつも以上にきれいにして出かけました。子どもだった私は、なぜこれから楽しい旅行に行くのに掃除をしているのだろう、「早く出かけたいのに」とちょっとイライラしていたような記憶があります。

大人になってその行動の意味がわかりました。

楽しい旅行でもやはり、疲れるもの。帰宅したときに心も体もくつろげるようにきれいに片づけていたのだと思います。

それから、旅行先で何かあったときに他の人が家に入っても恥ずかしくないようにという昔の人ながらのマナーもあったのではないでしょうか。

汚いから落ち着かないのか、心が不安定だから散らかるのか

よその家に伺《うかが》ったときに、くつろげる家と落ち着かない家があると感じたことはありませんか？

たまの来客がそう感じるのであれば、毎日そこで暮らす家族は日々、無意識に感じているはずです。

「居は気を移す」という孟子の言葉をもとに、故松下幸之助が住まいに関して、家は単に雨風をしのぐ建物ではないと言っていたように、住まいの環境はそこに住む人の心理的なものに作用してきます。

人は環境で大きく変わります。

「部屋の乱れは心の乱れ」というように、部屋が散らかるから心が落ち着かないのか、精神的に不安定だから部屋が散らかるのか、いずれにしても環境と精

神的なものはつながっているということです。

人間関係が、仕事が、どうもうまくいかない、なぜかイライラする、いつも家族と口論になる……そんな風に感じたら、家の出入り口である玄関をきれいにしてみませんか？

まず、**現状を変えたかったら玄関の片づけをする**。

朝または晩のどちらでもよいので、必ず掃き掃除と余計なモノが出ていないかのチェック。

それを1週間できれば2週間続けてみてください（人が、新しいことを習慣づけられる期間は、2週間前後といわれています）。

家全体が散らかっている女性に、次回私が訪問するまで、とにかく「玄関」にだけは靴を出さない、モノを置かないようにとアドバイスをしました。

その女性は、現在、自ら窓拭きを行うまできれい好きになっています。

話を聞くと、外から帰ってきたときに、玄関がすっきりしてきれいである。

リビングのドアまで続くホールも何もなくきれいな状態である。するとと、疲れているけれど、脱いだ靴はちゃんと揃えよう、コートは掛けよう、カバンも決まった場所に置こう——と思えるようになったと言います。

何事も出だしが肝心です。家の片づけは、住まいの入り口である玄関から始まっています。

玄関から見える、その家の「お金の未来」

汚い玄関には、心理的な要因のほかに経済的、家計的なダメージもあります。

以前、雑誌の編集をしていたときのことです。

地元銀行の個人融資課（マイホームローンやリフォームローンなど）の担当者が、打ち合わせ時の雑談中に、「長いことこの仕事をしてきて、ローンの契約で訪問したときに、この家は、将来ローンが滞《とどこお》るだろうというのが玄関に上がった瞬間にわかるようになりましたよ」と話されていました。

また、中古不動産売買の会社に長年勤めている役員の方も「ローンが払えなくなって、住宅を売りたいという家の玄関は、散らかって汚いというパターンがほとんどだ」と言っていました。

この話に共通する玄関は、いったいどういう状態だったと思いますか？

玄関ドアを開けたらモノがいっぱい積んである、置いてある、三和土《たたき》には靴が山ほど出ていて、靴を脱ぐ場所もない、上がろうにも足の踏み場もない……という状況だったそうです。

また、掃除も行き届いていない住まいも多く、靴下の裏が真っ黒になるので、替えの靴下を持って歩いていたともいいます。

このことは、私がセミナーでよく話させていただくのですが、受講されている席で大きくうなずく方がたまにいらっしゃいます。後で職業を伺うとやはり、金融機関の融資担当の方なんですね。

このほか、葬儀会社に勤務されて、ご遺体を自宅に運ぶ担当の方も興味深いことを教えてくれました。

葬儀代を払えないと見受けられる故人の家の玄関は、モノをよけないとご遺体を室内に運べない。室内は、ご遺体の布団を敷くスペースもない。ひどい住宅では、靴のまま入ってよいですと言われるそうです。とにかくモノだらけの家は、晩年生活が困窮《こんきゅう》しているところが多いですよ、と言います。

モノが溢《あふ》れているということは、無計画にモノを購入するため家計に無頓《むとん》着《ちゃく》であり、支出が多いためローンが払えなくなっていくのではないかというのが、銀行や不動産会社のプロから見た分析です。

どうですか？　あなたの家の玄関は、モノが溢れていませんか？

玄関先だけのお付き合いの人を意識する

「玄関は家の顔」という言葉、聞いたことありませんか？

玄関を見ればその家がわかるということです。

玄関先で帰っていく人は、けっこういます。町内会の人や集金の人だったり、宅配便だったりと玄関先だけのお付き合いは意外と多いもの。今時は、子どもの学校の家庭訪問も玄関先で終わりというところもあるそうです。

いずれにしてもそのときに、目に入る玄関の様子。「普通」は印象に残らないのですが、「とても散らかっている」か、「とてもきれい」かのどちらかは、インパクトが残ります。

特によその家って気になりますね。

玄関先で見た光景から、この家はどんな感じだろうって。玄関が散らかっているともう想像がつくので、上がろうという気にもならないと思いますが、きれいだとやはり、リビングも入ってみたいなって気になりますよね。

あなたがよそのお宅の玄関先に上がったときに、きれいに片づいていて、花が飾ってあったりしたら、住まいだけでなく、その人の評価も上がりませんか？

きれいな玄関で、ちょっとおしゃれな雑貨が飾ってあると「素敵だな」って思いますよね。

逆に、いつもきれいにおしゃれをしている女性の玄関先をのぞくと散らかっていたら、がっかりですよね。

インターネットのトピックニュースで、男性３００名に「あなたが引いてしまう女性」について尋ねたアンケート結果の第1位に「部屋が汚い」という回答がありました。

いくら外見をきれいにしても、「内面＝部屋の汚なさ」と結び付いてしまうのかもしれません。恋愛もうまくいくようにぜひ、片づけを始めてもらいたいものです。

あなたの家は、玄関ドアを開けたらモノがいっぱいあって散らかって、リビングに続くホールにもいろいろモノが置いてありませんか？　もしくは足の踏み場もない、なんてことになっていないでしょうか？　こうなると、もう靴は脱ぎっぱなし、コートもその辺に脱ぎ散らかし、カバンも空いている床のスペースに置いてしまう。

そんな感じでちょっとくらい散らかしても、それに気づかないほど散らかっていることに違和感のない部屋になってはいないでしょうか。

見られて恥ずかしいという気持ちも片づけには大事なことです。

玄関先で帰っていく人のためにもぜひ、玄関はまずきれいにしておきたいところです。

朝から探し物…という時間の無駄遣いをしないために

毎朝、外出するときはスムーズに出かけられますか？
鍵がない、ポーチがない、履きたい靴が見当たらない、ないないづくしの毎日を送っていませんか？

通勤、通学、見送り……とにかく時間のない朝にモノを探す時間は、イライラする、焦《あせ》る、精神的によくないですね。
探し物のせいでタイミングが悪く、バスや電車に乗り遅れる、遅刻してしまうなんてことになったら1日機嫌が悪く、人にあたって人間関係が悪くなってしまうことも。その日1日がもったいないことになりますね。

毎朝のことですから、いつも探すモノ、よく持っていくモノの場所を決めておきましょう。

鍵なら靴箱の上、靴箱が天井サイズの高さであれば靴箱の扉にフックをつけて掛けるなどをして、帰宅したらドアを開けた鍵をそのまましまいます。

カバンの中に鍵をしまっている人は、カバンの小さなポケットかキーチェーンを付けてそこにつけるなど、カバンの中にも居場所を決めます。


その他に探し物はなんでしょう。

とにかく毎朝なんらかのモノを探していてスムーズに外出できない！　という相談も受けます。

それは、家の中のあちらこちらが散らかっていることと、いつも決まった場所にカバン、携帯電話、財布、化粧ポーチなどを置いていないからです。

帰宅してその辺にバラバラとテキトーにカバンを置く、財布を置く、携帯電話を置く。そして、部屋が散らかっているからモノに埋もれる↓見つからない。悪循環ですね。

こういった場合は、外出するときに持っていくものはひとまとめに決めた場所に置いておくことです。携帯電話は充電しておくことがあるので、充電器の側にひとまとめに置いておくといいでしょう。

玄関をきれいにする。すると、心が軽くなる

では、玄関をきれいにしておくことのメリットとはなんでしょう。

一番のメリットは、そこに住む人の気持ちです。

帰ってきたとき気持ちよく家に入ることができます。

そして、片づいていると掃除もラクで、習慣的に行えるため、いつもきれいな玄関であり続けられること。


玄関に、山のように靴が出ていたお宅も今では、三和土《たたき》に靴が1足でも出ていると気持ちが落ち着かないといって、靴箱にしまうクセがつきました。

風水でも、良い気は玄関から入ると言われていますよね。きれいで自分が気持ちよいと思う空間は、精神的に明るくしてくれます。散らかっていると帰宅時の疲労は倍増し、ため息しか出てこないと思います。

自分の心の持ちようを変えてしまう玄関は、きれいであればあるほど、気持ちが軽くなるのです。

また、人が訪ねてきても堂々と玄関に上がってもらえますし、恥ずかしくありません。

私の個別片づけレッスンを受講されたある女性は、宅配便の人が来るといつも印鑑を持ってエレベーターの前で待っていたといいます。散らかった玄関を見られたくなかったからだそうです。今では、玄関もホールも、何もないきれいな状態なので「玄関で荷物を受け取れるようになりました」と笑って報告してくれました。

きれいにすることにデメリットはありません。これだけははっきりと言えます。

必要なものだけがある、という理想の空間

玄関はどのような状態であることが理想かと考えたことはありますか。

まず、三和土《たたき》には、靴が1足もないか、サンダルが1足だけ置いてある。

靴箱と床《ゆか》の間が空いているタイプでは、その空間に何も置いていないこと。

上がり框《かまち》、ホール部分の床ももちろん何も置いていない状態。これが理想です。

玄関の役割は、モノを置く収納スペースではなく、靴を脱いだり、履いたりして外出する、家に入る場所です。つまり、靴を着脱するための空間が必要なのです。そのために三和土があり、その三和土に他の靴やモノを置かないために靴箱という収納が通常あるのです。

ただ、三和土に何も置かないといっても、長時間履いていた靴をすぐに靴箱にしまうのは、抵抗があると思いますし、風通しの悪いところにしまうとカビやニオイの原因になります。

帰宅後は、きちんと揃えて三和土の端の方へ置いておくようにします。就寝前には靴箱にしまうようにしたいものです。

雨降りの日などは、履いてきた靴の中に新聞紙を丸めて入れて中の湿気を吸い取り、外側も拭いて乾いてから靴箱にしまいましょう。

それから、傘。いったい何人家族だろうと思うくらいの傘が、山のように傘立てに入っているお宅もあります。傘もできるだけ靴箱や収納棚の中にしまっておきたいものです。

このほか、靴箱の上。靴箱の上にモノは置かない。置くとすれば、鍵などの失くしてしまいそうな小さなモノをカゴやトレイなどにひとまとめに入れておきます。

靴箱の上についモノを置いてしまう人は、花や飾り物、絵画などを置くとよいでしょう。飾り物でその家の雰囲気もわかります。自分や家族の好きな飾り物は楽しくなるのでオススメです。

第2章

まずは「玄関だけ！」をやってみよう

片づけ方のコツ①

「玄関に必要ないモノ」を見極める

なぜ玄関をきれいにするといいかわかったところで、では、どうやって片づけたらよいのか。実際に玄関をきれいにしていきましょう。

お宅によってさまざまですが、たくさんの靴、送られてきた荷物の段ボールがそのまま、年に数回しか使わないゴルフバッグやスノーボード。出そうと思って置きっぱなしのゴミ袋や古紙の束……。どうして玄関は物置になっているのでしょうか。

それでは、**玄関にあるモノをすべてチェック**しましょう。

たぶん、「玄関で使わない」モノが多数あるはずです。玄関で使わないモノは、それぞれ使う場所へ移動させ、玄関で使うモノだけを玄関にしまいます。

ここで注意してほしいのが、「使う」です。

玄　関

❶ 玄関に置いてあるモノすべてを床に出す
❷ 仕分ける

どこに置く？

移動するモノ
・玄関になくてよいモノ

廃棄するモノ
・壊れた傘や靴
・履けない靴

残すモノ
・たまに履く靴
・新品の傘、靴

活用しているモノ
・履いている靴　・使っている傘
・靴磨きなど使う小物

入らないものをどうするか

使わないモノを無理にほかの場所へ移動させないことです。「使っていない」「こんなモノがあった」という発見をしたモノは手放すように。

ゴミや古紙、段ボールなどはそのうちではなく、回収日にすぐ出すようにします。片づかない家の多くは、ゴミ出しの日にゴミを出さずにゴミさえも置きっぱなしになっています。まず、回収日の朝にゴミを出す生活習慣は、家を片づける上で外せない行動です。

玄関にあってもよいモノとは、靴、傘、靴磨き、玄関用の掃除用具（ほうきなど）、自転車の鍵やグッズ、家の鍵、雨具、お子さんがいる家庭であれば外遊びのオモチャなどです。

片づけ方のコツ❷

「スペース」をつくり、仕分ける

モノを仕分けるときには、一つひとつを見ながらではなく、一度にすべてのモノを確かめるように出してまとめます。そのためには、玄関のモノを全部置けるスペースが必要になってきます。

玄関ホールが使えるお宅では、玄関ホールにあるものをとりあえず他へ移動させます。ホールが狭く、すぐリビングというお宅でしたら、リビングも散らかっていると思いますが、リビングに場所を確保します。または、玄関ドアを開けた外のスペースでも結構です。

玄関にあるモノは、外の汚れがついているため確保したスペースにあらかじめ新聞紙やレジャーシート、段ボールなどを敷いておきます。この時に3つ用意してください。**「使う」「使わない」「考える」で分ける**からです。

玄関にあるモノ、靴箱に入っている靴やその他のモノをすべて玄関に出し切ります。家によってはかなり山積みになるかもしれません。それでも全部出し切ってください。どれだけのモノが狭い玄関に置かれているか改めて認識するためでもあります。皆さん「こんなに玄関にモノがあったのですね」と驚かれます。

すべてのモノを出し切ったら、仕分けていきます。

まず、靴から始めましょう。

「使う（履《は》く）」は、①現在定期的に履いている靴、②オンシーズンになったら定期的に履く靴、③冠婚葬祭用の靴です。

「使わない（履かない）」は、①傷んでいる靴（修理に出して履く場合は、「使う」へ）、②傷んではいないけれど足が痛くなる靴、サイズが合わないので履かない靴、③デザイン的に気にいらない、昨シーズン履かなかった靴、履けない靴などです。

そして、「考える」には、例えば、昨シーズン履かなかったけれど、今シーズンは履く予定であるなど、どちらにも決めかねる靴を。

いるもの
いらないもの
考え中

このように3つに分けます。

「使わない」は、そのままゴミ袋に入れてもよいですが、サイズが合わず1、2回しか履いていない靴で状態のよいものは、リサイクルなどに出すとよいですね。

ただし、「考える」の数が多い場合は、1シーズン様子をみて、履かなければ「使わない」へ仕分けをするようにしてください。


次に傘を仕分けていきましょう。傘は、すべて開いて状態をチェックします。骨が折れていたり、破けていたりする傘は、使えないので処分します（傘も修理に出して使う場合は、手放さなくてよいです）。

使える状態の傘だけ残します。ただし、本数が多い場合は、家族1人につき1本だけを傘立てに置きます。

傘立ては表に出ていない方がすっきり見えますが、収納スペースの都合上入らない場合は、人数分しか入らない傘立てを置きます。たくさん入る傘立てを置いておくといつのまにか傘の数が増えてしまうからです。

片づけ方のコツ③

「使いやすく上手に」しまう

玄関で使うモノだけを、そして必要なモノだけを残しました。それらをどうやってうまくしまうのか、ここからお話ししていきましょう（しまう前に靴箱の中は拭き掃除をしてくださいね。砂や土がいっぱいついているので、捨ててよいボロ布を用意して拭いてください）。

靴は、現在使うオンシーズン用の靴を靴箱の目線から膝くらいまでの位置にしまいます。

子どもの靴であれば、子どもの身重に合わせて、出し入れしやすい位置にしまいます。オフシーズンや出番の少ない冠婚葬祭用の靴は、上部にしまいましょう。

靴磨きなどの小物は、カゴや箱を活用してひとまとめにします。

同じく、**自転車などで使う鍵や関連の小物、外遊びのオモチャなど**形や大きさがバラバラだけれども用途は一緒というモノはひとまとめにします。

荷物がよく届くお宅ではハンコを玄関に1つ置いておいてもよいですね。

傘は、人数分だけ傘立てに入れて、余分にある傘は、まとめて靴箱にしまうか、物入れなどにしまっておきます。折りたたみ傘も同じく家族の人数の本数だけ靴箱にしまっておきます。

靴箱が小さい場合は?

住まいによっては、玄関唯一の収納である靴箱が小さいところもあります。わずかな靴さえも入りきらないという場合も。

靴箱に靴を無理にすべて詰め込むより、オフシーズンの靴やビーチサンダルなどのレジャー靴、冠婚葬祭用の靴は、玄関にしまうという考え方を割り切っ

✧できれば深さのあるカゴや箱などに靴磨きグッズを収納するとゴチャついて見えない。

✧目につくように靴箱の上か靴箱の中の目線位置に鍵など細かいモノを収納。

✧折りたたみ傘は短いので横に寝かせて収納すると靴箱の奥行とサイズが合って、スッキリしまえる

てしまうのも一案です。箱や袋に入れて、押入れやクローゼットにしまうことをオススメします。ただし、カビがつかないように風通しのよい場所にしまいましょう。

そうすると三和土《たたき》に靴は出ないですし、靴箱に隙間《すきま》なく靴を詰め込んで、湿気やカビ、ニオイの温床になることもありません。

また、詰め込むことで型崩れしてよれよれの靴を履くことになるので、見栄えもよくありませんね。

靴を持つ数も考えなくてはなりません。

収納に入らないのに次々買ってしまうのではなく、靴箱に入る数が自分の現状の適正数だと思わないとキリがありません。

1足履きつぶすか、もう履かないと思ったら、手放してから新しい靴を購入するというクセをつけましょう。

購入の際には、どんな色・形が必要か考えてから。自分で履く靴のパターンはわかっていると思います。

ベースになる色（黒、ベージュ、茶系など自分の好みで）とその年の流行を1~2足をまず持つとよいでしょう。あとは、不足していると思う色やデザイン、種類を買い足すようにして、靴箱からオーバーしないように調整していきます。

片づけられない人の言い訳迷言

忙しいから

片づけができない理由として最も多く聞くのが「忙しいから」。

やろうと思ったけど時間がなくて、勉強したいけど時間がとれない……。大人になると時間がないことを一番の理由にあげていきます。

なかには、平日は寝に帰っているような働き方をしている人もいます。そのような人に「忙しいは言い訳」とは言いません。しかし、毎日家でテレビを見たり、スマホをいじったりしている時間がある人はどうでしょう？　そのうちの少しだけでも片づけに回すことはできませんか？

私はけっこうテレビっ子で、バラエティ番組が大好きです。毎日ゴールデンタイムから深夜までいろいろな番組をやっているので、1日2時間くらいはテレビの時間でつぶれていました。

しかし、今回、この本を書くにあたって、執筆時間が、仕事から帰宅し、家事を終えた後から寝るまでの時間にしかどうしてもとれませんでした。なので、しばらくテレビは、朝のニュースしか見ていません。このように「やらなければいけない状況」になると時間は作れると思います。

「時間がとれたら」ではなくて、「いつなら時間がとれるか」です。1日または1週間のスケジュールの中になんとか組み込むよう考えて、やってみましょう。

答え　**いつなら時間がとれますか？**

第3章

玄関がきれいになったら、リビングとキッチンも片づいた！

なぜ片づけられないのでしょうか？

◇生活の中で「片づけの優先順位」が低い

「はじめに」でお話ししたように、「片づけられない」のは、〝遺伝〟とか〝性格〟というくくりであきらめている人が多いようです。

面倒くさがりとかきれい好きとか、性格も多少反映されますが、一定以上散らかってしまうとそれは性格というより、生活の中の優先順位の問題です。

自分の生活の中で、部屋の片づけを何番目にもってくるかで、片づけるか、後回しにするかになります。

疲れているから、時間のある時にまとめてやろう——そう思ってはいませんか？

この「時間のある時に」が問題なのです。

私が片づけに伺う人のほとんどは、**出かける時間は作れても片づけの時間が**

作れないのです。それが優先順位ですね。週末は休みだから片づけをしようと思うのか、外出の予定を入れてしまうのか、の違いです。

仮に今週末の休みに外出の予定を入れたら、平日は疲れているから1週間片づけは、何もせずに終わりますよね。そして、来週の休みも外出したら、半月間現状維持プラスさらにモノが増えている状態になるはず。

モノが増える前に、散らかる前に片づける時間をスケジュールに組み込むのがベストなのです。

◇モノを置く場所でないところに、ついモノを置く

アイスクリームが冷凍庫に入りきらない場合、あなただったらどうしますか？ 食べてしまうか、捨てるか、どちらかではないでしょうか？ アイスクリームをその辺に置きはしないですよね。

例えば、12個箱が入る棚があったとして、16個の箱を持っていた。16引く12で4個の余り。その余りに対して、容量オーバーだと感じないで、**床やその辺りの隙間に置いたりすることが「散らかる」スパイラルの始まりです。**家の中

すべてがモノの置き場所ではないからです。

収納スペースではないところにも置けると思って、モノを置いてしまうことを正すべきです。床や隙間、テーブルなどの上などは、モノを置く場所ではないからです。

気が付けば、いつも片づけている気がする。片づけても、片づけてもすっきりしない、何から手をつけていいのかわからない。これらは、何からどのようにしまうのか以前の問題です。収納スペースに入らないものは「あきらめる」という考え方も必要なのです

❖置きっぱなしにしてしまう

どうしてその辺に置いてしまうのでしょうか。

それは、「ラクだから」。

子ども時代は、お母さんに「片づけなさい！」と言われていたと思いますが、大人になった今、「片づけなさい」とは誰も言いません。だから、その辺に置きっぱなしになるのです。

では、なぜ置きっぱなしにするのか。それは、**しまう場所が離れていて面倒**だからです。帰宅して、まず、最初に行く部屋がリビングだとしたら、その間に鞄を置く場所、コートを掛ける所があればいいのですが、奥の部屋だとつい面倒でその辺に…となってしまうのです。

◇住まいの大きさに対してモノが多い

このほか、住まいの大きさに対して単純にモノの量が多いという場合もあります。収納家具やグッズを買ってきて、きちんとしまっても、量が多ければ、部屋は、収納家具やグッズによって占領され、狭くなっていきます。

片づけができない人は、家自体の根本的なことを忘れています。

家は、生活する場であり、くつろぐための場所。それがいつの間にか、**倉庫のようにモノを保管する役割の場**に変えてしまったのではありませんか？　そして、そのモノのために家賃や住宅ローンの多くを支払っているのではないでしょうか？　実にもったいない話ですね。

ゴール設定とモチベーションで、片づけモードにスイッチオン！

片づいた住まいの実現には、期限を決めること。

単に「片づけよう」と思っても、いつまでにというゴールがないと人は先延ばしにしてしまいます。


そして、モチベーションですね！


札幌で開催している私のミニ講座。

年に数回、スケジュールが空いているときに開催するのですが、毎回参加される会社経営をしている女性の方は、講座で話を聞いてモチベーションを上げて家を片づける。

しばらくして忙しくなり、片づけが滞っているときにまた、講座があるので受講してモチベーションを上げて、の繰り返しで家がかなりきれいになっています！　と報告してくれました。

講座に出席しなくても、定期的にこの本を読んで、「よし、またやろう！」と持続するためのアイテムに使うのもいいのではないでしょうか。

人を招ける部屋にする。人に見せたい家にする

モチベーションは、人の評価というか、他人の目も重要な要素です。最終的には、定期的に人を呼べる住まいにすること。そして、いつでも人を招ける家であることが理想です。

以前、片づけに伺った夫婦2人暮らしのお宅には、ものすごい量のモノがありました。要因としては、2人暮らしに十分すぎる広さの3LDKの住まい（広いとモノがたくさん置けてしまいますからね）。そして、共働きの余裕で買い物も多い。

奥様と一緒にキッチンからモノの仕分けをしていると、素敵なティーカップやコーヒーカップが食器棚の奥から出てきました。

その食器を見て奥様は、以前は、同じマンションに住む奥様達を呼んで、ホームパーティみたいなことをよくしていたの、そして「モデルルームみたい

だね」って褒められていたのよ、と言っていました。それが働き出して、忙しくなり、人も来なくなってからこんな状態になったのよね……と。

定期的に人が来て、「素敵ね」「きれいね」と言われることがきれいさを持続するモチベーションになっていたと思います。

そして、片づけて、きれいにするとインテリアも変えたくなります。インテリアが素敵になると、また人を呼んで見てもらいたくなりますよね。そうすると片づけも自主的に行うから、よい連鎖が続きますね。

私が個別に片づけレッスンを実施している女性で、部屋がきれいになっていくにつれて、収納家具も新たにインテリアに合わせたい、リビングに合った色や素材に揃えたい、できれば素敵にしたいと思い始めた方がいます。

もちろん、一緒に検討し、選んでいます。気にいった家具が見つかるまでは慌《あわ》てて買わないということもできるようになりました。今は、少しずつ買い揃えています。

玄関がきれいになると自然と他も片づけたくなる、不思議な感覚

たくさんあるモノを整理して、きちんと収納して、スッキリとした住まいにすると暮らしは丁寧になります。

丁寧になると、生活習慣が変わったり、家の中がきれいになったり、食事をきちんととれるようになったりと生活がよくなって、自分が好きになっていきます。

そして、生活がよくなると行動も変わるので、人生も変わってきます。

片づけを「無理」「苦手」ととらえず、自分に合ったやり方を見つけて、まずできるところから始めようと決めてください。

「片づけたい」だからこの本を手にした、それだけでも十分前進です！　だって、すごい状態なのに、そう思わないで過ごしている人もたくさんいるのです

から。

以前、仕事先の方にお呼ばれして自宅へ伺った際に、モノがあちこちに置かれて「けっこう散らかっているな～」という印象を持ったのですが、後日片づけ談になったときに、その方がこう言いました。

「私のうちはシンプルだから」

この言葉を聞いて、片づいている・シンプルという価値観も人それぞれだなと感じたことを思い出しました。

片づけには、気力・体力・集中力が必要です。ですから、まずは「やる気」が重要なカギとなります。

何よりも自分で片づけたいと思い、実行する気持ち。

「自分でできた」という達成感が大事なのです。

達成感が自信につながり、自信が積極性、前向きな気持ちに変化していきます。

ですから、このままじゃいけない気がする、生活を、習慣を変えたい――と思ったら、まずは玄関から片づけてみましょう。

玄関は、家の中でも比較的スペースが狭いうえ、靴、傘をはじめ収納するものがハッキリしているので、片づけが苦手な人でもやりやすいからです。

前章の要領で、玄関を片づけてきれいにする。**家の中に1か所きれいなスペースができあがる。そうすると、ほかもきれいにしたくなってきます。**

例えば床の一部が汚れていて、そこだけ拭き掃除をして、一部分だけピカピカになったら、はい、それで終わりってできますか？　他もついでに磨きますよね。それと同じです。

玄関と玄関ホールがとてもきれい。でも、リビングが、キッチンが、寝室が散らかっている。気持ち的には収まりません。自然と他も手をつけたくなってきます。

最初から家じゅう全部をきれいに片づけようなんて思わなくて大丈夫です。

多くの部屋を見ていた私の実感として、そんな「できる人」はなかなかいません。

と言いますか、それができるような人はこの本を読んでいらっしゃいませんよね。

小さなところから、できるところから、無理なく始める。すると、不思議とどんどん家じゅうがスッキリしてくる。

そうなのです。この「片づけスパイラル」効果にスイッチを入れる。それが「玄関から始める片づけ」なのです。

玄関から始めて、スイッチが入ったあなたなら、次はリビング、キッチンと片づけていくのがオススメです。

玄関、リビング、キッチンは「きれいの三大エリア」と私が呼んでいる、「家族が片づいた感を実感できる」「人を招きたくなる」部分なのです。この三か所がきれいだとお客様を呼べるので、だんだんと居心地の良い住まいになっていきますよ。

では、次からはリビング、キッチンの片づけをお伝えしたいと思います。

片づけられない人の言い訳迷言

散らかっているほうが落ち着く

「散らかっていると落ち着くのですよね」と言う人がいます。

片づいたきれいな部屋で暮らしたことはあるのですか？　と尋ねるとそれはないと言います。では、きれいな部屋で暮らしたことがないのに、なぜ散らかっていると落ち着くと言うのでしょうか。

それは、思い込みまたは、言い訳でしかありません。確かに、生活感がまるでない部屋に暮らしている人もたまにいます。そこまで何もないと、冷たい空気を感じますし、逆に長居できない落ち着かなさもあります。

しかし、散らかっているよりはマシです。散らかっていると落ち着くと思うのは、単なる慣れです。モノの山は見慣れた景色になっています。

散らかっていて落ち着くというのは、心をいろいろな葛藤や悩みなどが占め、適正な判断ができない状態なのかもしれません。

温泉や旅行で、ホテルや旅館に泊まったときに何もなくて落ち着きませんか？　散らかしたくなりますか？　通常はならないはずです。つまり、すっきりしているほうが本当は気分がよいのです。

友人で、きれいな住まいに暮らしている人はいませんか？　ちょこちょこと遊びに行くようにしてみてください（ただし、潔癖症の人の住まいはダメです。あまり神経質な人の家へ行くと、散らかっている方が気楽だと感じてしまいます）。

すっきり片づいた部屋で過ごした後で、自分の住まいに戻るとイヤ気がさして、やる気が出てきます。ぜひ、片づいたおうちへ定期的に遊びに行ってみてください。

答え **きれいな部屋で暮らしたことはありますか？**

「リビング」が片づいた暮らし

散乱してしまう洋服に効く、帰宅後の「直行作戦」

ソファやダイニングチェアなどに洋服がいっぱい掛かっていませんか？

片づけに呼ばれる家には、必ずと言っていいほどリビングのソファやパソコン机の椅子、ダイニングチェアにコート、洋服、ストールなどの衣類があちこちに掛かっています。そのためソファや椅子は座ることができません。

ひどい家は、靴下やタイツ、パンティストッキングまで散乱しています。リビングに置いたままで、洗濯機やクローゼットへ移動しないために、どんどん溜まって、リビングが広いウォークインクローゼット状態という家も。

また、リビングに隣接する和室に洗濯物を干しているので、着て脱いだ服、洗って干した服が混在しているのもよくあるパターンです。

干してある服や下着を身に着ける、洗う、干す、またそこから着る……の繰り返しで、タンスやクローゼットにしまってある服は?! と突っ込みたくなる家庭もあります。

そうしないためには帰宅したらまず、クローゼットのある部屋に直行して部屋着に着替えるという習慣に変えること。

それが面倒だからできないのに――というかもしれませんが、ひとつも生活習慣を変えずに、それもラクして片づくなんてことはありえません。

それから、**コートやジャケットなどは、上着用の「掛けるスペース」を設けること。**

掛けるスペースもクローゼットにないから、リビングに置きっぱなしになっているという家も多々あります。ですので、フックを壁につけてもいいし、コート掛けを用意してもいいですね。

このほか、服をたたむのが苦手な人は、洗濯物をタンスやクローゼットにしまうことができません。

できるだけ**掛ける収納にするか、たたまずに丸めてもよいような素材の衣服を購入**するようにするとよいでしょう。

また、1回着用しただけで洗濯するわけではない種類の衣類（例えばジーンズなど）は、仮置きスペースを設けておきます。

テーブルを「いつでも、すぐに食事できる」ようにする

椅子に腰かけられない状態は、テーブルで食事ができない状態とセットである家が多いようです。

テーブルの上には、新聞、雑誌、リモコン、ダイレクトメール、郵便物、通販のカタログ……とにかくあらゆるモノが載っている。食事をするためには、一度それらをどこかによけないと食器を載せるスペースもない。

テーブルの上は、物置ではありません。

散らかったテーブルの上で食事をすることほど侘《わび》しいことはありません。美味しいご飯も、あまり美味しく感じないはずです。食事の時間を楽しむというよりは、空腹を満たすための時間となります。

片づけに伺ったHさんのリビングダイニングには、ダイニングテーブルとセンターテーブルがありましたが、そのどちらのテーブルにもモノがいっぱい載っていて、食事はかろうじてテーブルの上の隙間《すきま》でとっていたようです。

家族で毎日その状態で食事をしていると殺伐《さつばつ》としてきます。会話もあまり弾まず、テレビの方向をみるだけで口に食べ物を詰め込む――作業的な感じになります。

リゾートホテルの朝食やレストランでの食事は、きれいな景色を見ながら、ゆったりとしたテーブルの上でとるので気持ちよく食事ができますよね？　気持ちも会話も自然と穏やかになると思います。

テーブルの上にモノがずっと置きっぱなしになっているということは、拭《ふ》き掃除もできませんから、衛生上もあまりよくないはず。ほこりやもしかするとカビがあるような場所での食事というのもオススメできませんね。

床にモノがあること、に慣れてはイケマセン

テーブルの上にモノが置きっぱなしになっているように、床がモノで埋まっている状態の家も多々あります。

これは、「とりあえず」でその辺に置いておく、という日々の積み重ねで気づくと床が見えない！　という状況になっているからです。

まず、床がモノで埋まっていくと掃除機をかけることがままならないため、ホコリがたまっていきます。そこに湿気や水分が付着するとカビの原因になり、アレルギーや喘息《ぜんそく》を引き起こしてしまいます。

そして、**一番怖いのは、床にモノがあることに見慣れてしまうこと。**

毎日、朝晩目にする光景に見慣れてしまい、床にモノが所狭《ところせま》しとあることに

なんの違和感も抱かなくなってきます。そうして年数が経過するとゴミ屋敷さながらの状況になるのです。

モノの量も体重も、ある日いきなりすごいことになっていたということはありません。逆に、ある日いきなりだと気づきますね。

日々、少しずつ少しずつ増えて、散らかっていくからこそ気づかないのです。

70代の女性から問い合わせを受けて訪問したマンションは、まさに玄関からけもの道のような通り道しかない住まいでした。

リビングまでのホールが人1人なんとか通れるという状況。両側には、腰高までモノが溢《あふ》れ、キッチンも埋もれ、寝室にはかろうじて布団1枚分のスペースがあるだけでした。

これでは、生活ができませんね。

だからなのか、サークルや趣味の活動で忙しくほとんど家にいないと言っていましたが、家に長い時間いたくないですよね。座る場所もないのですから。

「いつからこのような状態に？」という問いにその女性は、「気づいたら……」

と答えました。以前、家族がいた頃は片づいていたといいます。

このように、単身女性の住まいが散らかっていることが割合的に多いようです。高齢になると体力、気力、集中力が途切れますから、片づけやゴミ出しも、さらに億劫《おっくう》になってきます。

ゴミ屋敷さながらで、床にモノが置いてあるようになったら将来、身内に迷惑をかけないように、気をつけたいものです。

DM、通販カタログ、雑誌…山積みになりがちな紙モノ対策

玄関から見える、その家の「お金の未来」でお話ししましたが、そういった家に住む人は買い物が好きです。散らかった家では、通販等のカタログの種類、数もとても多いです。期限切れのカタログも含めて。

片づける時間はなくても、通販カタログを見る時間はあるということですね。通販カタログは、時間も奪うし、無駄買いをしてお金も奪うし、モノは増えるし、で私は好きではありません。新しいカタログが届いたら、古いのはすぐに古紙に出す。いつも購入するところを絞る、というように冊数をまず減らしていきましょう。

このほかダイレクトメールやフリーペーパーの類、カード会社や保険会社などからのお知らせの手紙やハガキ。1週間、2週間放っておくと結構な量にな

ります。
リビングのあちこちに置いてオブジェ化してしまい、督促状《とくそく》が届いて初めて山積みになっていた郵便物を確認したという方もいます。
このように紙類は、厚みが薄っぺらく、重い印象がないため、ついためがちですが、紙類もたまると場所を占領し、一切見ないただの紙の山と化してしまいます。こうなるとなんのためにとっておいてあるのかわかりません。だってあることを忘れているのですから。
たまる前に処理をするクセをつけましょう。

カバンの置き場所は、いつも決まった場所に

私は、セミナーや講座でよく、「これから家に帰ってカバンを置くところがちゃんとある方はいますか？」と聞きます。

たまにちゃんと置き場所があるという方はいますが、ほとんどの方がないのです。特にお母さんであれば、子どもにランドセルは片づけなさい！　と言っている立場だと思うのです。そのお母さんが、出先から戻ったときにカバンを置く場所がなく、リビングのその辺に置いている……。子どもは心の中でどう思うでしょう？

カバンを日々替えて使っている方でも、中身はほとんど同じはずです。その中身を丸ごとどこかにしまえれば、翌日も丸ごと他のカバンへ移すだけですみますね。

その日のコーディネートに合わせてバッグを毎日替えている、とてもおしゃれな女性のお宅へ片づけに伺った際のことです。

その替えたバッグがリビングの床に散乱していたのです。

せっかくの素敵なバッグも型がつぶれ、ほこりがかぶっているものもありました。また、中に入れっぱなしのものもあり、「あれがない、これがない」という状況も日々あったそうです。

毎日使うカバンは、いつも決まった場所に置くようにします。

リビングでカバンの中身を出し入れする人は、リビングにある棚の1か所か大き目のカゴを用意して、そこに入れておくようにします。

カバンを毎回替えるという人は、クローゼットや上着を掛けてある場所にカバンを並べて置いておきます。カバンを替える場合は、中身をまるごと出して、入れて置く入れ物をカバンのそばに置いておくと、その日のコーディネートにあったカバンを選んだときに、サッと中身を入れられるので便利です。

リビングの理想形を思い描きましょう

あなたはリビングでどのように過ごしたいですか？

リビングには来客をもてなすという表向きの役割と、家族がくつろぐという裏方の役割があります。お客様がくるときはもちろん、自分や家族が家にいるときは一番長い時間を過ごす場所ですね。

片づけに対するノウハウも重要ですが、この理想形を定めることができないと、ノウハウを持っていても役にたちません。それは、断裁やミシン掛けが得意でも、デザインがないと洋服がつくれないことと同じです。

いつも部屋をきれいにできている人には、インテリアのイメージがしっかりできています。

こんなリビングにしたい、だからそのためには片づけて、収納はこうして、雑貨はこう飾って——と自分の理想とするインテリアに向かっていろいろ動けるのです。

あなたにとって憧れのインテリアはありますか？

リビングはどんな風にしたいですか？

自宅に関して今すぐには思いつかなくても、お気に入りのカフェとか、旅行先で素敵だなと思ったホテルの内装などを思い浮かべてみてください。**自分の中でいいと思った空間がベース**になっていくと思います。

「こんな風にしたい」そう思ったインテリアには、モノがあちこちに溢れていますか？　いませんよね。では、まずしなくてはならないことは何でしょう？

インテリアの前に片づけですね（笑）。

イメージを固めていくことで現状との違いがわかってきます。具体的なゴールを持つことで、片づけが進みます。

貯金やダイエットと同じです。

漠然とお金を貯めたい、ヤセたいな、と考えるだけでは、明日から、来月からとだらだら先延ばしにしてしまいます。でも、「来年のお正月はハワイに行きたい」と決めれば、今からいくら貯めていけばよいか明確ですよね。ダイエットであれば、夏までに「このスカートをはけるようになりたい」と具体的なサイズがわかると、ウエストをあと何センチダウンさせればよいかわかりますね。

片づけの場合は、例えば床が見えないリビングでは、床全面が見えるようにする、たくさんある棚を1つ減らすなどです。

そして、リビングでどのように過ごしたいのか？
テレビやＤＶＤ鑑賞なのか、読書なのか、家族団らんなのか。**目的によって、リビングに置いていいモノ、置かない方がよいモノが決まってきます。**

ＤＶＤ鑑賞や読書をすることが多い家では、ＤＶＤや本が多くあってもいいと思います。家族団らんであれば、家族で楽しめるゲームなどが置いてあってもよいでしょう。

リビングはあくまでも家族のパブリックスペース（公共の場）なので、個人の私物は置かないようにします。

リビングの片づけ方、コツのコツ

リビングに置いてよいモノ、そうではないモノの基準ができたところで片づけを始めましょう。

リビングは、玄関と違って広さがあります。そこにモノが溢れていれば時間はけっこうかかりますので、最低でも半日はスケジュールをみてください。

あと数時間で寝る時間帯である、夕飯の支度をする時間になってしまう場合は、中途半端で終わってしまい、モチベーションが下がるので手をつけないほうがよいです。時間が遅くなっても最後までやり切れるというモチベーションがあればやってみましょう！

今のリビングの状況は雑多なモノで溢れていると思われます。**一番目につく、多い種類のモノから始めましょう。**

✦紙類

◇読み終わったもの、期限の切れたものからチェック

どうしたらよいかわからないと相談の多いのが、紙類と雑貨というカテゴリーに入りそうなモノ。

新聞や雑誌、カタログなどの紙類が多い人は、それらを1か所にまとめ、読み終えた雑誌、期限の切れたカタログ、もらってきたけれど見もしないパンフレット等をその場で、紐《ひも》でまとめていきます。古紙回収に出すためです。後で見ようと思って長期間放置してあるパンフレット等はもう見ません。どうしても必要になればまた取りに行くことができるはずです。

◇封書は、「届いたその日に開封」をルールに

それから、後日まとめて見ようと思っていた封書の類。これらはためずに、届いたその日のうちに開封して、不要であればさっさと破り捨てるかシュレッダーにかけるクセをつけたいもの。ソファに座って、ゴミ箱を足元において、

テレビでも観ながらやれば、すぐに終わります。

紙類は、職場などでもそうですが、捨てたら後で困るのではないか、何かあったらどうしよう、という不安感がとっておく根本にあります。しかし、契約書や領収書の類以外は再発行等がほとんど可能です。あまり心配しなくてもよいのではないでしょうか？

また、金融機関や保険会社などから送られてくる封書の多くには、「重要なお知らせ」と記載されているため、なおさら保管してしまいます。しかし、一度読めば十分な内容がほとんどです。

重要と記載されているにも関わらず、散らかっていたために発見できず、何か月も放置していた家庭もあります。

◇捨てるモノ、とっておくものを置く場所を確定

あとは、今後のために古紙をまとめて置く場所、ダイレクトメールやお便りなどをとりあえず置く場所をちゃんと確定して設けます。

設け方は、底の浅いトレイなどを用意して目につく場所に置いておきます。

帰宅時に郵便ポストからとってきたダイレクトメールや郵便物をそこに入れます。

残しておく紙類は、「保険」「ローン」「学校」「町内会」「税金」……などと分けて、クリアファイルなどで分類しておきます。

取扱い説明書などは、ケースにまとめてしまっておくか、各機器のそばにしまっておくかどちらかにします。

通販カタログやもらってきたパンフレットなどは、ファイル立てや棚の一部を置き場に決め、そこからはみでたら処分するようにします。

✧一時的な仮置場として底の浅いトレイを用意します。その日〜1週間以内に必ず点検するようにしましょう。

✧保管しておく書類は、クリアファイルにラベルを貼って分類。立ててしまうようにします。

◆雑貨類・DVD・ゲームソフトなど

次にちょっとした雑貨類。

使い途《みち》がよくわからないけど、可愛いから、インテリアによさそうだからという感覚で購入し、その辺りに放置というパターン。

うまく飾ることができなければ、ホコリがかぶるだけなので手放しましょう。

家族で使うこまごまとした雑多なモノは、わかりやすく、が基本です。

小さな文房具類は、文房具でまとめ、仕切りを使って種類をわかりやすくする。ＤＶＤやゲームソフトなどは、引き出しや箱などにまとめてしまいます。

✧細々とした文房具類はひとまとめにしまうと探すときにかきまぜてしまうため、仕切りを設けましょう。

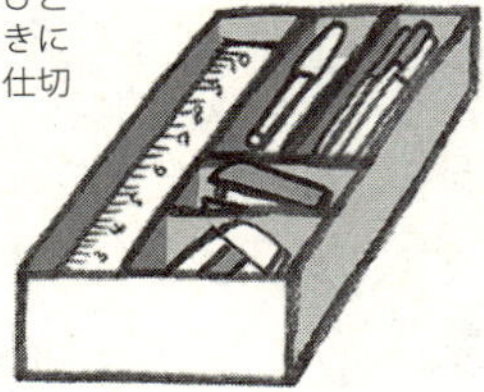

✧DVDやCD、ゲームソフトは背表紙が見えるように立てて収納。持つ数はここに収まる分とルールを決めるとよいでしょう。

✧100円ショップや雑貨店で売られているペンを斜めに収納できるペンスタンド。見やすく、出し入れしやすいので便利です。

◆出窓やソファなど面積の広い場所

テーブルの上や出窓、ソファなど広い面積の場所にモノは置かないこと。**広い面積の部分が散らかっていると、全体が散らかっているように見えてしまいます。**

また、どうしてもその辺に置いてしまう人は、大き目のカゴなどインテリア性を損なわないものを用意して、その中にとりあえず入れるようにします。ただし、それは1つだけです。この「とりあえずカゴ」が増えると結局なんでもアリになってしまいますので。

◆コンセント、配線

このほか、コンセントや配線もむき出しになっていると散らかって見えるし、ホコリもたまりがちです。ゆるめにまとめて、床に直置きにならないよう壁にフックなどをつけて配線を掛けておくと掃除がラクです。

いつか使えると思う

片づけに伺うほとんどのお宅に山のようにある紙袋。住まいのあちらこちらにあります。1か所に集めると皆さんびっくりされます。こんなに家の中に紙袋があったのだと。平均100枚以上は軽く持っています。

300枚ほど持っているお宅で、さすがに使い切れないだろうと思い、「1/10くらいに減らせませんか？」と聞いたところ、「いつか使うのでとっておきます」と即答でした。

そこで、「1週間にどれくらい紙袋を活用しますか？」の問いに「そんなに使いません。でも、いつかいっぺんにたくさん使うときがくるかもしれないので」と言われました。

一体いつ300枚近くの紙袋を使うのでしょう？　今後も紙袋は増えていく一方です。

「それはどんな時を想定していますか？」と聞き返すと、答えに詰まってしまいました。

紙袋を使うシチュエーションを想像してください。例えば、来客に何かお土産を持たせるといった場合、小さい紙袋または中くらいの紙袋があれば持たせられます。そして、何か手土産を持たせる来客は月にどれくらいくるのか？　ということです。

ここでは、紙袋を例にお話ししましたが、「いつか使える」はつまり、想像できないけれども何かあったときに安心だからという漠然した不安から持っているということ。

あるかどうかわからない出来事を想定して、「あったら便利」という理由で、住まいを狭く、散らかしてしまうのはもったいないことですね。

答え　いつかってどれくらい先ですか？

「キッチン」が片づいた暮らし

毎日の食事作りを楽しくするキッチンに

キッチンは、調理や後片づけをスムーズに行うため、効率を重視するスペースです。ダイニングは、食事をする空間です。それぞれの役割に合うモノの置き方と使い勝手を考えましょう。

一人暮らしのSさんのキッチンは、調理台、ガスコンロ上すべてにモノが載って、あきらかにキッチンは使っていないのがわかる状態でした。

朝・昼・晩ともに外食。働いている現在はいいかもしれませんが、その状態のまま定年を迎えると、収入に対する食費の割合はとても大きくなると考えられます。

そして、栄養バランスには気をつけているといっていてもやはり、塩分・カロリーは多く摂取してしまうもの。食生活は長い目で見ると投資です。野菜をはじめとしたバランスのよい食事を日々とることで、将来の医療費は変わってくるはずだと思います。

まずは、調理台に載っているモノを整理して、簡単な料理ができるキッチンに見直しました。

また、ファミリー世帯でもキッチンのあちこちにモノがいっぱい載っている住まいもあります。ただ、家族の食事があるので、散らかってはいますがなんとかキッチンを使用している様子です。しかし、私から見ると作業スペースがほとんどなくて、かなり使いづらそうです。

開封していない、または使いかけの調味料や、いつ洗ったのかわからない置きっぱなしの食器や鍋など。ほかにもラップや調理器具などありとあらゆる物が出ています。床は、ゴミ箱から溢れたゴミ袋や、買い置きで箱に入ったままの飲料系のペットボトルなどが占領しています。

こういう家に限って、スーパーやコンビニでもらうビニール袋を大量にとってあります。なぜ、そんなにとっておくのでしょう。エコバッグを持っていけばよいのにと思いますが、モノがいっぱいで、すぐにエコバッグを取り出せないから持って出かけられないのです。

ほかにも、食器を多く持ちすぎることの弊害として、例えばコップの数が多いと、家族が次々新しいコップを使って洗い物が多くなります。家族の人数分のコップしかなければ、違う飲み物を飲む際に使っていたコップを洗って、注ぐので洗い物は増えません。

数があるということは、そのモノに対する手間も多いということになるのです。

流れるようにスムーズな作業は心地いい

片づいたキッチンでする食事の支度《したく》と、散らかっているキッチンでする支度とでは、作業の効率がまるで違います。

モノがいっぱいで使いづらい、散らかったキッチンでの食事の支度は面倒このうえなく、徐々に手抜きや出来合い、外食になっていきます。また、食器を洗う、キッチンの掃除をするのもままなりません。

そうなってくるとキッチンに立つのも億劫になってくるのです。

多種多様なモノを短時間の調理の際に出し入れします。その動作がスムーズであれば効率よく食事の支度がはかどり、きちんとしまわれていれば掃除が簡単にできるのです。

余分なモノが床に置かれていない、調理台やコンロの上もすっきりしている、探し物がないというキッチンは、繁盛《はんじょう》しているレストランの厨房《ちゅうぼう》のように動きが軽やかです。そして、きれいであるということは、片づけも掃除もスムーズにできるということです。

キッチンの片づけ方、コツのコツ

キッチンはコンパクトなスペースながら、お弁当などに使うピックなどの小さなモノからホットプレートなどの大きなモノまで、大小さまざまな数多くのモノがしまわれています。

膨大な数ゆえ、使っていないモノから存在自体を忘れてしまっているモノまでいっぱい出てくる場所でもあります。

キッチン本体の棚や引出しの中、食器棚の中、家電ボードの収納スペースなど、ありとあらゆる場所からモノを取り出すことから始めましょう。

✦食材・調味料

まずは、キッチンの収納スペースから調味料、食材などの食品ストックを全て出して集めます。

◇「賞味期限」をチェックしましょう！

片づけに伺うお宅のキッチンは賞味期限切れの食材が大半を占めています。全く封を切っていないもの、同じもの、中途半端な状態のものがいろいろと出てくると思います。賞味期限切れの食材はいさぎよく捨ててしまいましょう。期限が間近に迫っているものは、今週のメニューに組み込んでしまい、食べるようにします。

期限はあるけれど、使わない、使いこなせないかなと思う特殊な（？）食材や、いただきものだけどどうてい使わないようなスパイスはとっておいても期限切れを待つだけと考えられます。ここは、思い切って料理好きな人にあげるなどの処分法を検討しましょう。

食材のストックが多い住まいは、新しもの好きの傾向もあります。目新しい調味料やドレッシングなどは、今あるものを使い切ってから購入するようにします。

◇◆食材の在庫を一目で見られるようにする

以前私が、キッチンだけの片づけに行ったHさん。ご家族3人暮らしで、キッチンは、他の片づけに伺うお宅と比較するときれいでしたが、引出しや吊棚、食器棚など収納スペースの中には、モノが乱雑にしまわれていました。また、対面カウンター式であったので、カウンター部分には大量のモノが置かれていました。

こちらのお宅もまず、調味料や食材のストックをすべて床に出して仕分けていきました。Hさんも「こんなに同じような油や酢、ドレッシングが。中途半端な使いかけの上白糖や顆粒だしがいくつも……」と驚いていました。それぞれの置き場所を決めていないで、使ったら適当な場所にしまい、残りの状況もわからずにスーパーに行って、安売りしていたらとりあえず、とすぐ買っていたのが原因でした。

すべてを仕分けして、収納用品を揃えて購入し、店舗のように収めました。それから3か月くらいしてHさんから、「食費がものすごく減りました！（笑）」というメールが届きました。

食材や消耗品の在庫が一目瞭然になったからですね。

食材や調味料は、日頃からよく使う種類と出番が少ない種類の置き場所を分けると使い勝手がよくなります。

日頃よく使う調味料は、キッチンに立ったときに半歩くらいの移動で出し入れできる場所にまとめて配置します。出番が少ない種類は、吊り棚の上や食器棚の下部などでもよいと思います。

「粉もの」「麺」「調味料」「缶詰」……など分類して置きます。

粉ものなどは、残りの量がわかるようにパッケージのままよりも透明な容器に入れることをオススメします。

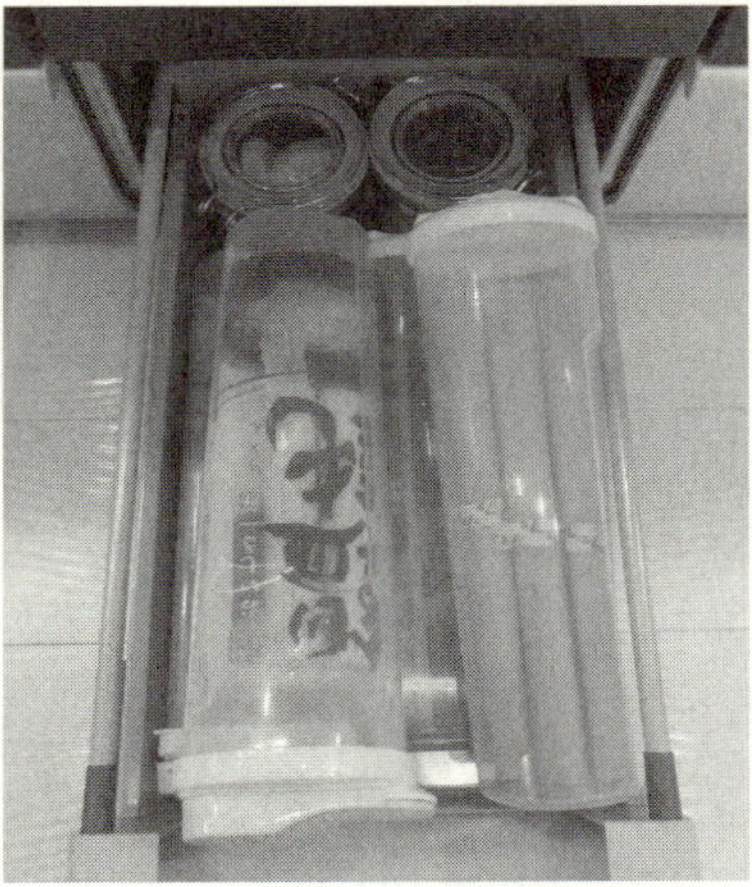

✧使いかけのそうめんやうどんなどの乾麺は、パスタケースや麦茶ボトルなどに入れて収納をすると一目でわかるし、長さもちょうど収まります。横に寝かせても立ててもOK。

✧缶詰なども立てると商品名がわかりにくいため、寝かせるようにしまった方がわかりやすい。高さがあまりない引出しでの収納も可能。

※クリナップ札幌ショールームキッチンより（収納コーディネート著者監修・プラン）

✦食器

次に食器です。

新居への引っ越しに伴い、モノの整理をお手伝いしたMさんのキッチンには素敵な食器がたくさんありました。結婚当初はいただいたり、自分で購入したりするなどブランドものの食器が揃っていました。しかし、話を聞くと、普段使いの食器は、コンビニやファストフード店で点数をためてもらえるキャラクター柄の食器でした。

「意外と使いやすいし、割れないので……」という奥様。そして、素敵な食器は、食器棚から何年も出されることなくホコリがかぶっていました。使わないのであれば、奥にしまいこむのではなく、見せる収納として飾る手もあります。ただし、現状は詰め込んでいる状態でしたので、ある程度は数を絞らないとおしゃれに飾ることはできません。

そこで、普段使う食器、来客用の食器（食事をするような来客がほぼ来ない場合は必要なしと判断します）、予備の食器を少しだけ持つように提案。２つあった食器棚を1つにしてもらいました。

このように食器も衣類と同じようにデザインや色、柄で持っているときりがありません。

単身世帯や夫婦世帯であれば小さめの食器棚、3～5人家族までであれば、90～120センチ幅の食器棚で収まる数を持つように選定していきましょう。

いつも家族の食事で使う食器は、だいたい同じモノが登場しているはずです。それらは、必ず使うのでもちろん残しますが、一度も使っていないけれど、よい食器が食器棚の奥に眠っているのなら、それと差し替えてもよいのではないでしょうか。

「割ってしまったらもったいないから」としまいこみがちですが、しまいこんでいるのなら、ないのと一緒。ぜひ、食卓に素晴らしい食器を登場させてください。いつもの食事もちょっとリッチに見えるのでは？

◆調理道具

食材は、期限があったり、腐っていたりするのが目に見えるので処分はラクです。しかし、調理器具や食器などの期限がない、腐らないモノの仕分けは判断に迷うようです。

◇必要な数を見極めよう

私がキッチンの収納セミナーでよくお話ししているのは、調理道具の数について、です。

例えば、フライパンの数。

自宅のコンロは、ガスコンロでもＩＨクッキングヒーターでも、たいてい3つ口またはそれ以下です。一度に使える数は3個が限度。だから、フライパンは、大・中・小または卵焼き用の角型フライパンのどれか3つさえあれば足りるわけです。

実際にフライパンを3ついっぺんに使うことはありえないので、それ以下でも大丈夫です。

鍋も、よく使う片手鍋または両手鍋3種類に揚げ物鍋や蒸し鍋、土鍋など。ザルやボウルは、1回の食事の支度に4つも5つも使うことなんてありませんので、これらも大・中・小の各1個持てば十分足りるはずと思います。

フライパン、鍋、ザル類の大型モノを仕分けていくことで、キッチンの収納スペースは1～2割空くと思います。

鍋やフライパンと合わせて、レードルやフライ返しなどの数。

これも一度に使う数は、多くて2～3個。たぶん、そんなに使わないと思いますが、2つあれば十分調理ができるはず。自分にとって使いやすいものを各1～2つ残します。

みそこしや泡立て器、すりこぎなどは1つずつで十分ですね。

便利だからとつい買ったものの、使いこなしていない調理道具は、思い切って手放します。同じような道具をいっぱい持っている可能性もあります。

食器を整理した先ほどのお宅では、カニフォークが20本以上も出てきました。本州に住む両親が遊びに来たときに毛ガニを食べさせるのに用意していたのだけど、こんなにあるとは！と本人も驚いていました。

持つモノの数を絞るために、すべてのキッチン用品をチェックしましょう。

✧タッパーやお弁当小物

✧タッパー類は、フタと本体の数やサイズがすべて合っているわけでもないのに、とってある場合があります。一つひとつセットでしまいましょう。

✧小さくて、バラつきやすいお弁当のグッズは、仕切り板が移動できるフタ付の透明ケースに収納すると取り出しやすくて便利です。

自分の作業グセを知ると、収納場所もわかる

毎日の食事作りで、自分では気づいていないでしょうが、同じような行動をとっているはず。その動きを知ると、いろいろなキッチン道具や調味料などの収納場所を改めて考え直すことができます。

例えば、炒めものをするのにフライパンを取り出す。その時に、フライパンの手前にあるモノをよけて、フライパンを取り出して、よけたモノを戻す。このよけたモノが、フライパンより使う頻度が少ないとしたら、位置が邪魔ですよね。

人は不思議なもので、邪魔であればあるほど、その邪魔なモノをどこかに移動させようとしません。そして、そのうちフライパンを取り出すのが億劫になり、炒めものをしたくなくなるのです。ですから、ちょっと意識して日々の作業を見直してみてください。

✧よく使う調味料は、透明な容器に移し替えて入れることで残量がわかります。寝かせることで引出しでの収納もできます。

✧キッチンでは、使う場所に一番近いところに収納をするのが効率的。コンロ下には、コンロで使用する鍋やバット、油、フライパンなどを置きます。重ねるより立ててしまった方がすぐに取り出せます。

※クリナップ札幌ショールームキッチンより（収納コーディネート著者監修）

作業グセと同じく、作るレパートリーというのも、だいたい決まってきます。すると、調味料などの食材もいつも使うモノが決まっているはずです。それと使いやすい鍋や調理器具などの使用頻度の多いモノ。

よく使う調味料、食材は、キッチンで作業しているときに歩かずに取り出せる背後の棚や対面カウンターなどのその場で手の届く位置に、あまり使わない食材や調味料は食品庫などにしまいます。

鍋や調理器具も毎日使うモノは、シンクやコンロ下などに、出番が少ないモノは上や食器棚の下の奥などにしまいます。

もったいないから

「もったいないから」。とってもよく聞く言葉です。とくに私のような職業をしている人間は、常に聞いていると思います。

では、いつになったらもったいなくなくなるのでしょうか？　それは持っている本人の価値観次第なのです。

高級食器をしまいこんでいるご家庭は結構多くあります。大事に箱にしまいこんでいるという奥様に「将来、奥様に万が一のことがあれば、この箱は、ご家族にとって不要なモノですから捨てられてしまいますよ」とお話ししたところ、「そうですよね。私、今夜からこの食器使います！」と言ってくれました。

また、新築住宅に入居後に収納アドバイスで伺ったお宅。

IHクッキングヒーター下の引き出しに鍋やフライパンが無造作に入っていました。使っているモノかどうか一応確認したところ、鍋セットがガスコンロ用なので使えないということ。

でも、「まだ新しいのでもったいないから、とっておきます」「将来リフォームして、ガスコンロに変えたら使えるから」と奥様が言われました。「なるほど」とは思いましたが、「将来はさらによい鍋が出てますよ」という私の回答に納得していただきました。

たしかにまだきれいだし、数も揃っているのでその鍋だけ見れば「もったいない」ですが、もったいなくても「持っている」というだけにしかなりません。「使えない」のですから。

答え　いつになったら、惜しくなくなりそうですか？

Jam

第 4 章

散らかし方でわかる！
タイプ別 整理・収納のコツ

素敵なインテリアや収納は真似をしたくなります。

でも、ちょっと待ってください。その真似をしたくなる素敵な住まいは、モノがいっぱいありますか？　ないですよね。シンプルでおしゃれな空間になっているはずです。

そのシンプルな〝雰囲気〟を真似したいと思うのでしたらよいのですが、飾ってある小物や収納グッズ、家具など個別のモノを真似てはダメです。モノがいっぱいあるあなたの住まいに、さらにその個別のモノを入れることで、もっと散らかってしまいます。

それは、雑誌で見たモデルが着ている服を見て、その服を買って、着たらスタイルがよくなると思い込むのと一緒です。服を買う前にまず、体型を絞るという基本を抜かしてはいけません。

住まいもモノを整理して、片づけるという基本を先に行ってから、収納になります。

収納とインテリアは、片づいた住まいではじめて活きます。

モノがいっぱいの住まいでは、素敵なインテリア家具や小物、アイデアばっちりの収納も埋もれてしまいます。

「いいな」と思ったら、真似ではなく、まず自分のタイプに合わせて片づけ方を知ることからはじめましょう！


本章では次のタイプ別に片づけのコツを伝授します。

● 「モノがいたるところに溢れて散らかっている」タイプ→p.116へ
● 「一見きれいだが、収納スペースにモノが押し込まれている」タイプ
→p.132へ
● 「収納スペースは空いているのに、部屋は散らかっている」タイプ
→p.146へ
● 「本・キャラクター物・洋服など特定のモノが多すぎる」タイプ
→p.156へ

モノが
いたるところに溢れて
散らかっているタイプ

「モノがいたるところに溢れて散らかっている」タイプ

とにかくあちこちにモノがある

玄関ドアを開けた瞬間から目に飛び込んでくるおびただしいモノの量。こうなると生活をするための住まいではないですね。

見渡す限りモノがいっぱいあって、何がどこにあるのかわからない、使いたいモノは掘り起こして取り出す。掃除機はほとんどかけることができない。拭き掃除なんていつしたのかも覚えていない。

片づけに呼ばれて伺うお宅の多くは、床にモノ、テーブルの上にモノ、ソファの上にモノ、出窓の上にモノ……。とにかく何かの上という上にモノが置かれている状態です。部屋の面積も全体の1／4～1／5残っていれば優秀といったところでしょうか……。

モノの下にはホコリやゴミがいっぱいあって、衛生的にも悪い環境です。

どんな住まいも、引っ越し当初はそこまでモノがあったわけではありません。

部屋の角に段ボールの一つでもちょっと置いてみると、その段ボールの上に、横にちょっと…となってモノの塊が広がっていくのです。

こうなったら、「もったいない」とか「いつか使う」とか言っていられません。このまま住み続けたら確実にゴミ屋敷になります。「モノを捨てるのはちょっと……」と、言う人に限って「家が狭いから」などと責任転嫁します。住まいや収納スペースの問題ではなくて、モノを減らさないことには解決しません。収納アイデア以前の問題です。

床にモノがない状態になるまで不要なモノを整理していきます。整理する方法としては、玄関と同じようにある程度場所を空けて、使うもの、使わないものを仕分けていくのですが、量がかなりあると思います。

仕分けるスペースがほぼない場合は、まず、自分が座るスペースとゴミ袋を置くスペースを確保します。とにかく、座ってそのそばからあるモノをチェックしていきます。

この段階でのゴール第一弾は、床がほぼ見える状態にすること。

片づけられない人の言い訳迷言

とりあえずとっておく

この言葉も「もったいないから」「いつか使うと思うから」と合わせてベスト３に入るくらいの言葉です（笑）！

とりあえずとっておいて、その後どうするのか、それっきりなのですよね……。

何も考えずに「とりあえず」で済ます。そして、そのまましまいっぱなしになること必定です。だって、使う用途、予定がないのですから。

献立を考えずにスーパーに行って、とりあえず安かったから買った野菜。冷蔵庫の野菜室で腐っていたなんてことありませんか？　それと同じです。

都合のよい言葉ですが、現状全く変わらないことになります。片づけようと思ったモノの存在確認で終わることになります。

「とりあえず」でとっておくぐらいだったら、さっさと手放す。使うのかどうかも未定なモノを維持管理する時間より、その煩わしさから解放されたほうがよっぽど有意義です。

人生小さなモノに迷っているヒマなんかありません。もっと大事なことに決断する力を蓄えておきましょう。

答え　とりあえず？

ゴミを出さないと住まいの中のモノの量が減らないので、例えば古紙回収日の前の日に紙類を徹底的に仕分けするという方法もあります。これですと、翌日にある程度不要なモノが減り、少しすっきりしてきます。

「モノがいたるところに溢れて散らかっている」タイプ

数を見極める

家の中すべてがモノの収納スペースだと思い込んでいるという話をしましたね。

持つ数や量を決めないからという理由もあります。自分の暮らしの適正数を見極めることも大事です。

一番簡単な適正数の出し方は、食器であれば食器棚に入る分だけ、洋服であればクローゼットやタンスに入る分だけ持つということです。

夫婦2人暮らしで大きな食器棚を2台もっているお宅がありました。

1つを整理して、ダイニングをもっと広く使いたいというご希望で伺いました。2台から食器を含むすべてを出してみると、西欧のブランド食器がいくつも出てきました。

それらの食器が家にあることも忘れていたという奥様。モノの数が多いと頭の中で在庫を把握できず、よい品も忘れ去られてしまうのです。

それで普段、来客には通常のコーヒーカップ&ソーサーをお出ししていたそうです。

せっかくだから来客にはブランド食器を、ご夫婦にはほかのよい高級食器を日頃から使用することをオススメしました。すると、景品の食器が使いやすいから、よい食器は「いつか、きたるべき日に使う」と言うのです。

「いつか、きたるべき日ってちょっとイメージできないのですけど（笑）？」という私の質問に、奥様も「私も自分で言っていて、わからない！」と大笑いしていました。

その会話で、存在自体を忘れていたのだと気づいた奥様は、いくつか好きなセットだけ残して、あとは欲しい人に譲りました。

それでは、自宅のクローゼットの大きさやタンスの段数が適当か否かわからないという場合は、おおよその数を提示するので目安にしてください。

例えば、**下着や靴下**。洗濯回数にもよりますが、1週間分あれば十分ですよね? 春・夏と秋・冬の季節ごとに種類は各1週間分で。これに若い女性や下着にはお金をかけているという人は、もう少し持っていてもよいです。

ただし、1週間に1回しか洗濯しないという人は、10セットくらいあった方がいいでしょうか。

洋服は、季節ごとに10セットコーディネートできれば通常の生活だと十分と思います。つまり、上に着るブラウスやカットソー、Tシャツ、セーターなどが合計10着。スカートやパンツなどの下が合計5~10着。ワンピースなどはそこからプラスマイナスして自分で検討してみてください。

季節ごとですし、それにジャケットやコートなどがプラスされて、全体的には50着以上の数になります。ファッションが好きな人や職業柄私服の人は、もう少し持っていてもいいかもしれませんね。

このほかに、冠婚葬祭用の服や着物なども別途持っているため、下着などを含めた衣類全体は、けっこうな数になります。

トイレットペーパーや洗剤などたくさん買い置きをしている家庭もそれぞれストック品を置く場所に入りきるだけを持つようにしましょう。本来は、買い置きですので、1個予備があれば十分なのですけどね。

「モノがいたるところに溢れて散らかっている」タイプ

置き賃はバカにならない。見せる方法に逆転の発想で

家族の人数よりも部屋数の多い余裕がある住まいで暮らしているのに、片づけられない世帯は、使われていない部屋が物置状態になっています。

マンションなどで多いパターンは、リビングに隣接している和室。襖《ふすま》を開けるとけっこうな惨状で（笑）。一戸建てだと、2階で誰の個室でもない部屋が物置化しています。

マンションでも、一戸建てでも、賃料ないし住宅ローンの何割かはその物置スペース分に払っているのですよ。気づいていましたか？

一人暮らしで、私のうちはすべてがスゴイ状態ですけど～という方は、**賃料のほとんどをそのモノの置き賃として払っている**のですよね。散らかって、片づける暇もないくらい一生懸命働いたお給料が、その散らかったモノの置き賃として――。

嫌みったらしい言い方だったかもしれませんが、実際そうですよね。

住宅費が高いこの日本で暮らすなら、できるだけその住宅費をムダにしないようにスッキリ空間に変えていきませんか？

さあ、早速モノでいっぱいの空いている部屋を快適な空間に変えましょう。

でも、何か目的がないと空いた部屋を上手く活用できずに、また同じように物置にしてしまう可能性があります。

趣味があり、その道具がいっぱいある人は、趣味の部屋に。本が多い家庭は、図書館風にしたり、書斎に変えたりしてもよいですね。その目的以外のモノは置かないようにします。

洋服が多い人は、部屋をまるごとクローゼットにしてもいいかもしれません。いずれにしても、ただ置くのではなく、そこに人が入ってもいいように工夫して配置しましょう。

図書館風であれば、棚の中に分類した書籍をきれいに並べる、真ん中に読書テーブルを置くなど。

クローゼットであれば、ショップのように吊るす、たたむ、色、柄、コーディネート別で分ける、大きな鏡を中心に置くなどしてみます。

モノの要・不要を選択する

片づけは、モノを選択することから始まります。これが簡単そうで実は大変な作業です。けっこうな集中力と判断力を必要とします。そのため、疲れている、気力がない、精神的に不安定である、モチベーションが上がらないようなときは進みません。

自分で「片づける」「なんとかしたい」とやる気になったときがベストタイミング！　そういったときは、日頃手放せないようなモノに手を付けられます。

さて、選択する際の基準ですが、

残すモノは――

「今使っている」「確実にこの先使う」「使わないけど大切」などと、そのモノに対して、**残す理由を言い切れる**、**残すことに自信がある**場合です。

それに対して**残さないモノは**——

「いつか使うと思う」「何かに使えるはず」「欲しい人がいるかも」「もったいない」……「思う」「かも」などで、**迷いや想いが生じ、はっきりとした答えが出ない**場合のモノです。

ただ、モノがありすぎると自分にとって大事なモノ、残すモノがなかなか定まらないのです。なぜなら、今まですべて必要と思ってとっておいていたから。自分の好きなモノ、こと、やりたいことなどから残すモノを判断してみることもよいでしょう。

「残さない」と選択したモノに対して、「捨てたら、何年後かにやっぱりあれ捨てなければよかった～」と思うのでとっておきます、という方がいます。でもそれは、なくて「困った」わけではないのです。想いだけでモノをとっておくとキリがありません。

買い物は「なくなってから」を原則にする

モノが多い方の特徴は、買い物が大好き。よく言うと家計にゆとりがあるのだと思います。目にしたモノをつい買ってしまう傾向があるようです。

買い物は、「なくなってから」出かけましょう。

例えば食料品だと、毎週末とか火曜日とか曜日を決めてスーパーに買い物にでかける、または、とりあえず毎日買い物に行くという人が多いと思いますが、ここが大きな誤りです！

〝とりあえずスーパーに行く〟のか〝不足しているモノを買い足しにスーパーに行く〟のか、ということ。

醤油がなくなったから、買いに行く。１週間分の足りない食材をまとめて買いたいからスーパーに行く、というように、「買い物は、モノを買いに行く」ということ。

多くの人は、何か買おうかとまずはお店に行くことを目的にしています。だから、必要のないモノ、安売りをしているモノ、お得（？）なモノを買って帰ってくるのです。

「安売りしているから」「新店オープンだから」と用もないのに足を運ぶ。安売りは、毎週どこかのお店でやっています。安いから買うのではなく、不足したから買うようにしないといけません。

また、家にあるモノを把握していないので、同じモノを買ってきてしまう。同じような服がいっぱいあるお宅がありました。それも、買ったときのパッケージに入ったままの状態で。これはもう、本人が買ったことで満足してしまうパターンですね。

それからもらいもの。

粗品や景品など無料、オマケでもらえるモノを並んでまでもらっていませんか？　趣味に合わない湯呑《ゆのみ》だったり、煙草を吸わないのに灰皿だったりと必要のないモノをもらっていると思います。

また、たいしてもらって嬉しいと思わない記念品目当てにポイントカードを貯めたりしていませんか？　必要のないモノを購入してまで貯めたポイントでもらったのは、変なストラップだったり、趣味の悪いポーチだったり……。

欲しくて買おうかどうか迷っているモノが配布されているのであれば、もらってきた方がお得ですが、お金を払わずにもらえるという〝欲〟でモノを増やすのは今日からやめておきましょう。

「家が狭い」「収納スペースが少ないから片づかない」

モノが多いと「収納スペースが不足しているのでは？」はては「家が狭いからでは？」と、モノの整理をできない自分ではなく、スペースや家に責任転嫁をする人がいます。

共働きご夫婦の相談に伺った住まいは、市内でも高級住宅地で専有面積の大きなマンションでした。とにかくモノが多く、家族６人くらい住めるような広い室内がもったいないことになっていました。

お話を伺い始めてすぐにご主人から、「もっと広い家に引っ越したほうがよいでしょうか？」という相談が出ました。

今でこのモノの量です。まだ、30代のご夫婦ですから、単純に考えれば、60代で倍の量になります。モノに合わせて引っ越ししていくのであれば、将来は、蔵を建てなければ間に合わないですよとお話ししました。

家が狭ければ、狭いなりにモノの量を調整して暮らしていかないと倉庫で暮らすようなことになってしまいます。収納スペースが少ないなら、そこに入る分が適量だと思って住まないことには、いつまでたっても片づきません。

転勤される方は、モノの量が少ない方が多いです。今回は3LDKでも、次は2LDKかもしれないという環境の中で定期的に引っ越しをされているので、一番小さい住まいの状況に合わせて荷物を増やさないようにしているのです。

家が広い、収納スペースがいっぱいある方が、ついモノを増やしてしまいます。現在の環境に合わせて、すっきりと暮らしていけるようにモノの数を調整しましょう。

答え　モノの量に合わせて大きな家に移りますか？

一見きれいだが、収納スペースにはモノが押し込まれているタイプ

「一見きれいだが、収納スペースにモノが押し込まれている」タイプ

開けると雪崩《なだれ》が起きる納戸《なんど》や物入れは仕分けから

3年くらい前に片づけに伺ったMさんのお住まいで、ホールに小さな扉がありました。「これは?」と扉を開けようとしたところMさんから、「あ！　そこは雪崩が起きるから、開けないで」と言われました。仕事上、物入れとわかっていて見て見ぬふりはできませんので、開けました。

いろんなモノが崩れて出てきました！

さて、この会話で不適当な部分に気づいたでしょうか?

そうですね、「雪崩が起きるから開けない」という言葉ですね（笑）。開けないのなら、そこにしまわれているモノは使えないので、不要なモノとみなしてよいはず。自宅にそういった収納スペースがあれば、そこにあるモノまるごと仕分けしてしまいましょう。

「一見きれいだが、収納スペースにモノが押し込まれている」タイプ

探し物をしないための、3つのコツ

もっと整理収納について知りたいと受講されたOさん。私のセミナーを受ける前は、自分の家は十分片づけができていると思い込んでいたそうです。セミナーでの「必要なモノがすぐ取り出せるようになっていますか?」という問いに、「そういえばいつもモノを探している……」と気づいたといいます。

Oさんは、ホテルのような空間が理想で、とにかく、部屋をきれいにするためにはモノを出さないようにする。だから、収納家具や収納スペースにはモノが適当に詰め込まれていたのです。それで、いつも探し物をしているし、詰め込まれているモノはぐちゃぐちゃで、保存状態がよくないという状況でした。

まず、大半のモノは生活用品ですから「使う場所にしまう」。

当たり前のようにやっていると思いますが、靴は玄関、鍋はキッチンにし

まっていますよね。

使う場所が特定されていないモノ、外で使うモノは、使う頻度によってしまう場所を選びます。外でよく使うモノであれば玄関がいいと思いますし、年に1度くらいしか出番のない季節用品や節句用品などは、収納スペースの奥でよいかと思います。

また、**探し物をしないためには、①カテゴリーに分けて収納する、②しまいこみすぎない（見えやすい簡単収納）、③ラベルを貼る、**が有効です。

①カテゴリーに分けるとは、暮らしの中で使うモノを自分の基準で分類することです。

例えば、文房具、日用雑貨、薬、掃除用品などと分けます。分類が同じモノ同士を一緒にしまうのです。掃除用品で使いたいモノがあれば、掃除用品コーナーを探せば出てくるというわけです。

②しまいこみすぎない（見えやすい簡単収納）というのは、奥にしまって

しまうことで、何が奥にあるのか見た目にわからないため、見逃してしまい、探し物をしてしまうことへの対策です。

③ラベルを貼るは、自分や家族がすぐにわかるという最大のメリットがあります。これは、探し物を減らすだけではなく、しまう場所を忘れないという効果もあります。

「一見きれいだが、収納スペースにモノが押し込まれている」タイプ

棚や出窓の上、家具と壁の間などの隙間をなくす！

「①カテゴリーに分ける」で、どのカテゴリーに入れてよいのかイマイチ決められない、したがってしまう場所が確定しないモノを「とりあえず」で、隙間にちょっと入れてしまうということがあります。

そして、一番危険なのが、その場所が気づけば定番になってしまっているということ。つまり、収納スペースとして家の中で認知されてしまうこと。その

まま定位置となり、そこにはいつまでもモノが入っていることになります。

家の中はきれいにしたいという気持ちはあるものの、**その場しのぎの片づけが多いため、隙間や裏にモノを詰めるという行為をしてしまう**ためです。

定位置にしてしまわないためにも、頑張ってカテゴリーを決めてみましょう。どうしてもポジションをうまく決められないモノは、「その他」としてどこかの棚1段分などにまとめて置くようにします。

いろんなモノを家具と家具の間や家具と壁の隙間などに置いている場合は、そのモノのしまい先が決まっていないか、しまうところが面倒な場所にあるので、しまいに行くのが面倒で、とりあえずつっこんでいると思われます。

隙間に置くことをやめる手っ取り早い方法は、隙間をなくすことです！

モノが入れられないように家具と家具の間、家具と壁の間はできるだけぴったりと狭《せば》めます。それか、大きく幅を空けて観葉植物などを飾るのもよいでしょう。中途半端に紙袋1つ分程の隙間があれば、モノが置けてしまいます。
あなたの家の隙間の幅をチェックしてみましょう。

マンションで暮らす4人家族の奥様からのご相談で訪問したときに、「あれ、片づいているのに」と一瞬思えることがありました。家具や雑貨が少なく、床面積が広いので、一見すっきりと見えたのですが、もう一度見渡すと、パソコンデスクと壁の間に、出窓のカーテンの陰に、テレビの裏側にいろんなモノが挟まっていたり、積まれていたりしていました。

入った瞬間はすっきり見えるのに、座って落ち着くと雑然とした状況が目に入ってくるのです。

とりあえず片づいて見えるように、リビングの隅や家具と壁の間、家具や家電の間にモノを突っ込んでいたり、積んでいたりするお宅があります。

確かに出しっぱなしよりは片づいて見えるし、部屋も広くなりますよね。でも、それって急な来客時などの応急処置ではないでしょうか。

「一見きれいだが、収納スペースにモノが押し込まれている」タイプ

出し入れしやすい収め方が決め手

モノは「しまいこむ」と出さなくなります。だから、「②しまいこみすぎない」というようなことが必要になってきます。

出さないということは使わないということ。

使わないモノは、生活の役に立つ道具ではなく、ゴミの扱いになると私は思っています。ですから、どんなモノも**使いたいと思ったときに簡単に出せるように収めること。**

片づけ依頼で伺ったHさんの寝室は、洋服の山でした。クローゼットの扉の前にハンガーパイプ2本を置いて、パイプが傾くほど洋服が掛かっていました。クローゼットはもちろん開けることはできません。

また、クローゼットの対面側には花嫁ダンスばりの大きなタンスが2竿。そ

して、タンスの上部にたくさんの洋服をハンガーにひっかけているので、タンスの扉が開けません。

つまり、タンスの中とクローゼットの中のモノは完全にしまいこんでいる状態でした。クローゼットに至っては、何が入っているかの記憶もないほど開けていないそうです。

これは極端な例ですが、扉の前にモノを置くということは、その扉が開かないので中のモノはないに等しい状態になります。

基本中の基本として、**扉の前にモノは置かない**ことです。

このほか、奥行きのある押入れや階段下収納などは、どうしても奥のモノが出し入れしにくくなります。押入れの奥行きに合わせて購入した衣装ケースなども引き出しても、奥の衣服が取り出しにくいため、着ないでワンシーズン終わる可能性も多々あります。

奥行きのあるスペースには、奥行き÷2のサイズの衣装ケースを購入し、奥と手前の2段に配置する方が効率はよいです。手前にオンシーズン、奥にオフシーズンというように分けると、衣替えの時期は、引出しごと入れ替えることができ楽々です。

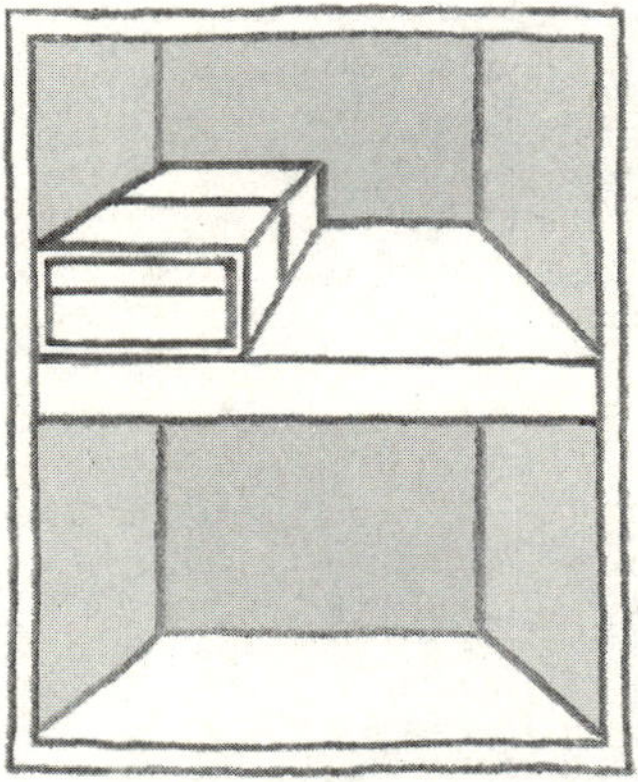

◇押入れの奥行に合った引出し収納は、奥のモノが取り出しにくく、活用しない要因になります。奥行の半分のサイズにすると、奥と手前で、引出しを入れ替えるだけで移動ができます。

小物は仕切ってまとめる

小さなモノは、仕切りをつけてしまうことで使いたいモノをすぐに取り出すことができます。

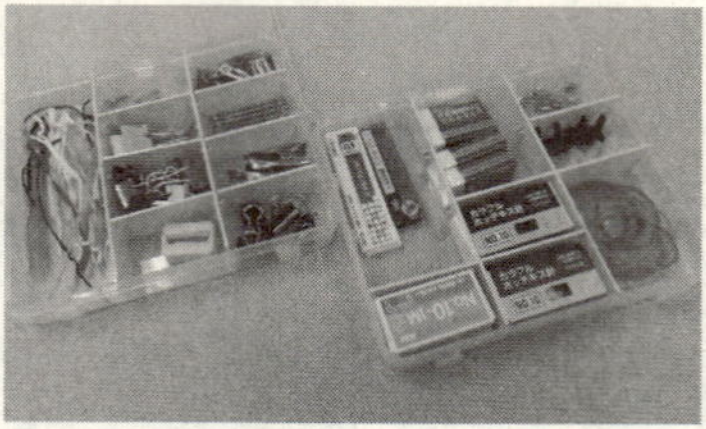

✧クリップや安全ピンなど小さくて細かいモノは、仕切りが調整できるケースに収納して仕分けます。（100円ショップ）

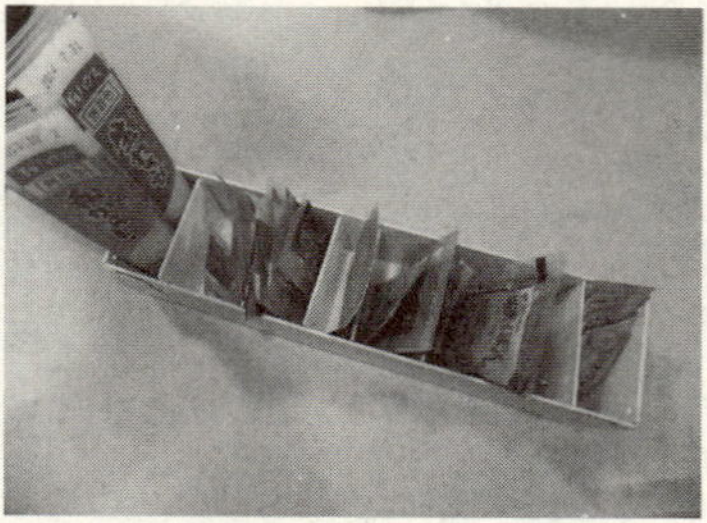

✧冷蔵庫のドアポケットでバラバラになっているタレやわさびなども仕切りでひと目でとり出せるように。（コレモッタオリジナル品）

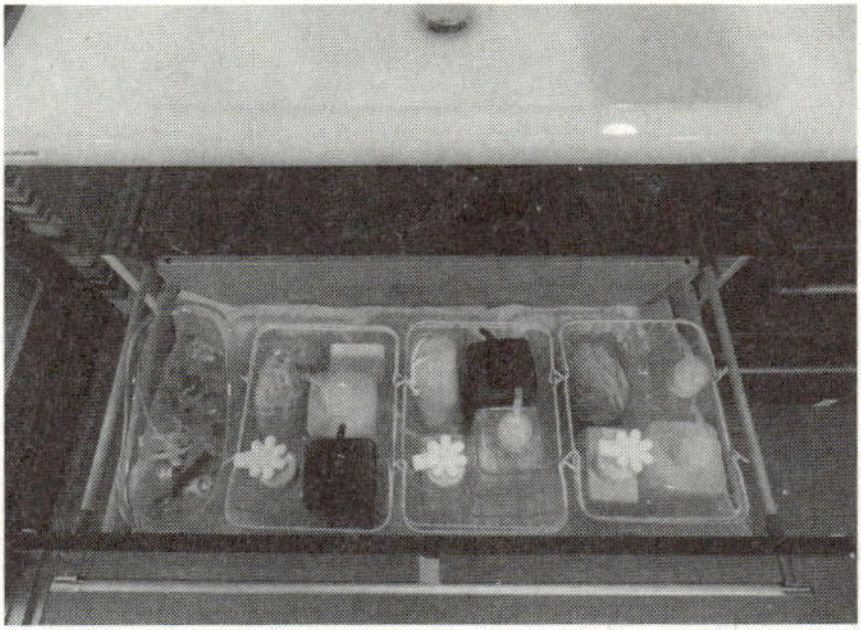

✧家族が多いと浴室のシャンプーやボディソープなどもたくさんあって、お風呂掃除が大変。ワイヤーカゴ（100円ショップ）に各人のバスグッズを収納。入浴時に脱衣室からカゴを持って浴室へ。お風呂掃除がラクになります。

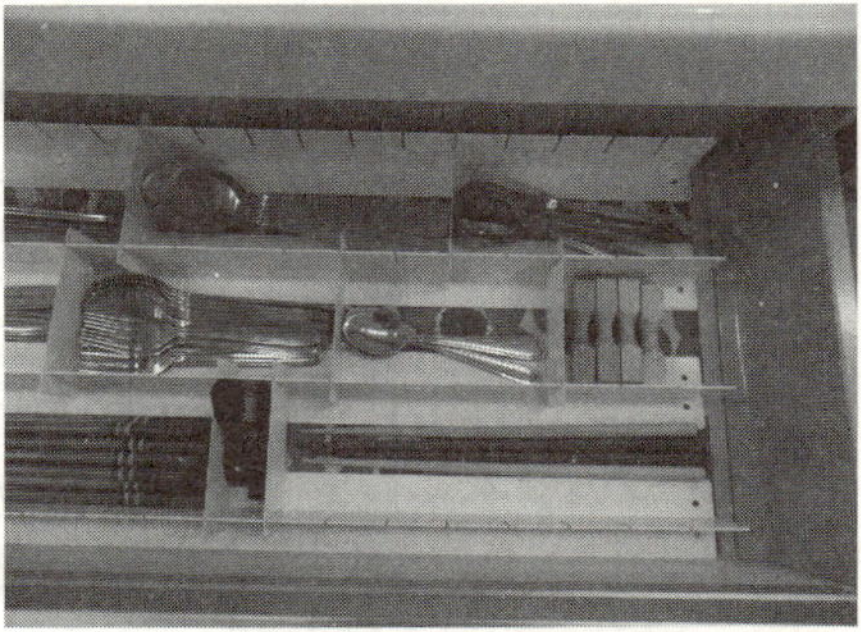

✧引出しぴったりの幅に合わせて作成し、間仕切りが移動できる仕切りを使って、カトラリーや箸、箸置きのサイズに収納が可能。（コレモッタオリジナル品）

「一見きれいだが、収納スペースにモノが押し込まれている」タイプ

室内を撮影してみる。衝撃写真にびっくりします！

「片づいている」と自分で思っていてもところどころの散らかり、または全体の状況に気づかない人も多々います。

私がリフォーム系雑誌の編集者時代にリフォームをした素敵なおうちに取材に行く機会が日々ありました。

カメラマンと同行して室内をいろいろと撮影をするわけですが、目で見て、「このアングルで！」と指示して撮影した画像（今は広角のデジタルカメラをパソコンにつないでその場で確認できます）をチェックすると、意外や意外、いろいろな置物や雑貨が目に飛び込んできます。

それをヒントに、自宅や自分の事務所を撮影して大きめにプリントすると、片づいていると思われていても、気になる箇所がいろいろと出てきました。

自宅を第三者目線で見るためにもいろいろな方向から、室内を撮影してみることをオススメします。

撮影して、雑誌のような大きさにプリントしても何も気にならなければオッケーということです。

収納スペースは
空いているのに、部屋
は散らかっているタイプ

「収納スペースは空いているのに、部屋は散らかっている」タイプ

有効な収納の仕方がわからない…

部屋に思いっきりモノが溢れ、散らかっているのに、収納スペースの中を見てみるとガラ空きというおうちもあります。

どうやってしまったら有効に使えるかわからないので……ということですが、高さのある物入れなどは上部の空間が空いている、奥行きのある収納は手前が空いているなどです。

また、せっかくの棚がガラガラでモノが床に置かれている家もありました。モノの整理ができているのなら、使いやすいよう、空間をムダにしないような収納にします。

高さがある収納スペースに、箱やケースを積んでしまうと下のモノをとる場合に上のモノをおろさないとなりません。うまく活用できない場合は、収納ス

ペースに棚板を設けて上まで出し入れしやすいようにすることです。また引出し式ケースを積めば、下の方は引き出せますが、上は引き出しても中が見られませんので、**下は引出し、上は中身が軽めの箱などが無難**です。

奥行きがあり、手前が空いている場合（奥のモノを出し入れしようと手前が空いている）は、キャスター付の収納ケースが便利です。高いところは、奥行分のサイズに合った軽いダンボール製の取っ手付きケースが使いやすいです。

「収納スペースは空いているのに、部屋は散らかっている」タイプ

出し入れしやすい収納スペースの使い方

では、どうやって収納をするとスペースを無駄にせず、出し入れしやすい収納ができるのでしょうか。

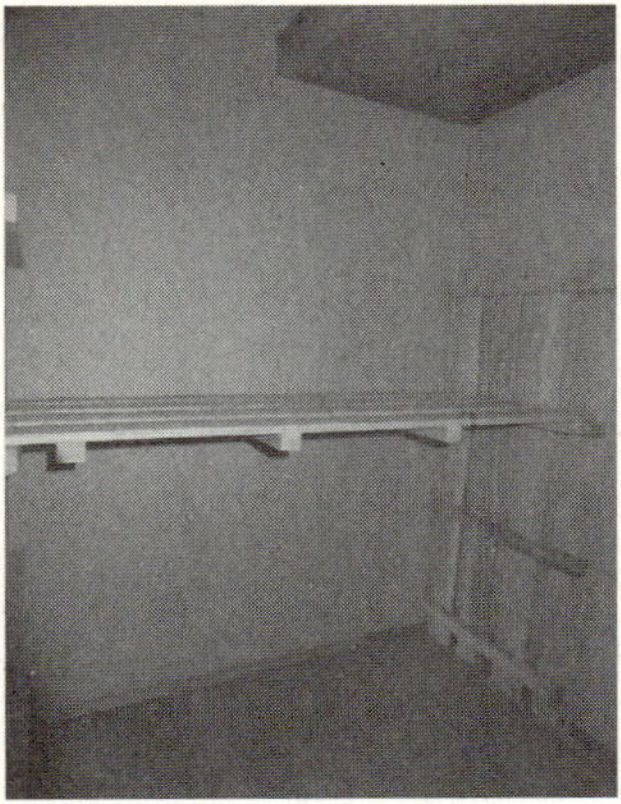

◇高さがある押入れなどはモノを積むと下のモノを取り出すのが大変なので、スノコや板を使って棚を作って上・下仕切ります。
スノコは両側に立て、出っぱりの部分に棚板やスノコを載せます。

◇引出しの前には絶対モノを置かない。ちゃんと引き出せるスペースをとっておくこと。

モノを置くのは、使う場所のすぐそばに！

使う場所から離れていると、モノをしまうのが面倒で置きっぱなしになるために、**使う場所のすぐそばにしまう**ことが一番手っ取り早い方法です。

わかりきったことですが、玄関に靴箱があって、靴をしまっているようにその場所で使う、出し入れするモノをしまえばよいということです。離れた場所で使うと戻すのが後回しになって何日も放置し、気づけば1年くらい経っていたということもあります。それで散らかってしまうのですね。

・

いま、部屋全体を見回して出しっぱなしになっているモノをチェックしてみましょう。本来は、この場所で使用することが多いのに、違う部屋にしまうようにしているのではないですか？　いつもここで使うのに、使用後違う場所に戻しに行くのが面倒くさい――。だから出しっぱなしになっている、ということはありませんか？　戻す場所を考えてみましょう。

「収納スペースは空いているのに、部屋は散らかっている」タイプ

すべてのモノの配置を決める

ありとあらゆるすべてのモノに対して、置き場所を決めることは探し物がなくなる最大のメリットです。そして、すべてのモノに戻る場所があるということは、出しっぱなしを防ぐ最大のポイントです。

この配置決めが、今後スッキリさを持続できるかどうかを大きく左右すると言っても過言ではありません。

では、配置をどうやって決めたらいいのでしょうか？

自分なりの置き場所・分類を決めます。住まいの中でコーナー分けをしてもいいかもしれません。

分類ですと、「食器」「洗濯用品」「文房具」「本」などです。

コーナー分けだと「衣類」「食事」「教育・教養」「交際」「日用」「清掃・医療」「書類」「思い出」「住居」「レジャー」といった家計簿の項目に沿った感じです。

自分で分けやすい方を選び、それぞれの配置場所を決めます。ただし、細かく分ければ分けるほど覚えられなくなりますので、初めはそんなに細かくしないことをオススメします。

片づけ初心者は、コーナー分けにして、その中で大雑把にしまうことから始めるとよいでしょう。

例えば、絆創膏は「清掃・医療」関連をしまっている場所を探せば出てきます。探すのはそのコーナー内だけになります。その後、使い勝手や仕分け方を自分なりにアレンジしていくことでより出し入れしやすい、片づけが継続しやすいのです。

収納アイデア見本

✧キッチンの浅い引出しにフタがガラスで中が見えるケースにスパイスなどを入れておく。底がマグネットになっているので鉄製のトレイに載せ、調理時はトレイごと出し入れすると便利。（ケース：100円ショップ／トレイ：コレモッタオリジナル品）

✧スーパーのレジ横をマネして、ポリ袋を使いやすいように開いて立てて収納しておくと便利。

✧食洗機がない住まいでは水切りカゴを収納するスペースを棚に設けておくと、キッチンの調理台はすっきりします。また、ゴミ袋はゴミ箱近くに収納しましょう。

✧大きなフライパン用のフタは、薄型の書類ケース（100円ショップ）に立てて収納すると場所をとりません。

買い物がストレス解消だから

モノを増やさないようにするのも片づけの１つです。

しかし、片づけられないタイプの人は、衝動買いやバーゲン、通販の誘惑に非常に弱く、ストレス発散になるからと買い物の必要性を訴えます。

このように買い物でストレスを発散しているタイプでは多くの場合、買った時点で満足してしまうため、買ったままの状態で置きっぱなしにし、やがて買ったことも忘れてモノがたまっていく。そして、収納スペースを占領する一因にもなってしまっているのです。

不思議なことに、片づけの時間はとれないのに、買い物に出かけたり、通販のカタログを見たり、ネットで商品を探す時間はしっかりとっているのです。

どうしても買い物がしたい、モノを買うゆとりがあるという方は、他人へのプレゼントなどをコマメにあげてみてはどうでしょうか？買い物もできるし、家にモノも増えないし、人から喜ばれるし、で一石三鳥にもなります。

必要のないモノを買い込むことは、家計にも影響します。

家計が厳しいと感じる人は、買い物以外の趣味やストレス解消法がないか、ちょっと考えてみましょう。

答え　他に趣味を持ちませんか？

本・キャラクター物・洋服など特定のモノが多すぎるタイプ

「本・キャラクター物・洋服など特定のモノが多すぎる」タイプ

趣味のモノがよその住まいと比較して圧倒的に多い

ちょっと前ならUFOキャッチャーのぬいぐるみや食玩《しょくがん》などを収集し、趣味のモノが溢れていた家がありました。

男性であれば、レコードやCDなどの音楽グッズ、それから書籍が大量にある住まいが多いです。

女性でしたら、キャラクターグッズや手芸関係の材料ですね。たくさんの布、毛糸、ミシン糸など色、柄、サイズさまざまで場所をとります。

好きで集めている、趣味で使うモノだから、もちろん手放せないですね。でも、限度というものがあります。

スクラップしようと数年分の新聞をとってあるお宅もありました。それも切り抜いていないため、新聞紙そのままの状態です。

新聞の場合は、何をスクラップしようと思ったのか読み直すところから始まると思うのですが、積んでいるだけで、満足し、スクラップが終わったかのように置きっぱなしになっていました。

新聞紙の山だけで、机1台分くらいの床面積は占領されています。これからももっと増えていくでしょう。古い新聞の内容なんか覚えていないし、情報も古すぎるはずです。

趣味のモノもどこまで集めるのか、買うのか、**自分なりにルールを決めて、場所をこれ以上拡大させないようにしましょう。**

「本・キャラクター物・洋服など特定のモノが多すぎる」タイプ

服はすべてを把握できるように収納

趣味のグッズではないけれど、おしゃれが好きで洋服やアクセサリー、バッグ、靴が普通の人より多いという着道楽の人。読書が大好きでちょっとした書店並みに書籍が家にある人。自宅で料理教室をしているので、道具は他所《よそ》の家の倍以上あるという人。

特定の生活用品がとても多いという場合は、住まい全体のモノの総合量で調整します。衣類が多い場合は、クローゼットやチェスト、タンスなどがもちろん他のお宅より多いはず。その分、本棚がないとか食器は最低限の数しか持たないというように調整することです。

他のモノは平均的に持っていて、特定のモノもあるということは、モノが住まいに溢れる状況を簡単につくってしまいます。

体型が若い頃とあまり変わらなく、昔の洋服をよく着ていたKさん。洋服を大事にしている人なのだなと思っていました。でも、洋服をしまってある寝室に通されてびっくり。

ものすごい服の量で、洋服を買うのが好きな上、いつも同じような服ばかり着てしまうとも。多すぎていろいろな洋服を出せなかったのですね。

そこで、すべて出してみると同じような洋服が5〜6着以上、買ったままでパッケージを開封していない服も大量に出てきました。それも似たような服ばかり。しまいこんで忘れていた服ばかりです。

ちなみに着道楽と呼ばれる洋服の買い物が好きな人は、一番モノを捨てにくいタイプかつ浪費家が多いようです。

洋服は、上着、スカート、ブラウス、パンツ……と分類します。その各種から、さらに季節、色、柄、生地の種類などに分けます。分類し、季節、デザイン別に整理していきます。季節外（オフシーズン）の洋服は、奥にしまいます。今の季節に着られる洋服は、**収納の際に一目瞭然にしておくことが大事**です。

衣服は、**分類したカテゴリーごとに色、柄がわかるように掛ける、たたむ、丸めて並べる**ようにしまいます。せっかく持っている洋服をまんべんなく着られるようにするために、すべてが把握できるように収納します。

洋服店に行くと、初めてのお店でもスカートがどこにあるか、セーターはどんな種類があるのかわかりますよね。それを参考にした収納方法が一番てっとり早いです。

「本・キャラクター物・洋服など特定のモノが多すぎる」タイプ

飾る収納でモノを大切に

マンガやフィギュアなどすごい数を持っていても、飾ってあるのか置きっぱなしになっているのか、わからない人もいます。それは、ほこりをかぶって汚いからです。

好きで大事なモノであれば、ほこりがかぶるような置き方はしないと思うのですが――。

部屋のいたるところに置きっぱなしのようになっているのなら、それは、もう集め始めた惰性だと思います。好きで飾って眺めるというよりは、新作がでたら手に入れるということに注力し、そこで満足しているのです。

好きで集めているのでしたら、そのモノ自体を素敵に飾ることにも気をつかってほしいですね。

掃除が苦手というタイプの人は、ガラス扉の棚やプラスチック系の収納ケースに入れて飾る。

好きなモノなら掃除も苦にならないというタイプは、玄関の靴箱の棚上、リビングの飾り棚、トイレの棚などちょっとしたスペースに好きなモノの世界観を作って飾ると住まいの統一感ができます。

お子さんが小さい頃遊んでいた「動物の人形」たちをホールの棚に飾って残している奥様がいました。使わないから捨てるではなく、思い出を現在にアレンジして素敵に飾るという方法もありますね。

「本・キャラクター物・洋服など特定のモノが多すぎる」タイプ

家族に迷惑がられているなら、〝スペース〟をもらう

本人にとっては大切でも場所を占領したり、インテリアにそぐわなかったり、掃除がしづらかったりすると他の家族からは、なんとかしてほしいと思われている、または、すでに言われている人もいるはず。

個人の趣味のモノは、個人の部屋に飾るのが一番無難ですが、なかには個室がないご主人がトイレだけ認めてもらえて、トイレの収納棚の上だけが自分の趣味のスペースという家庭もありました。

家族と話し合って、個室がある場合は個室内で好きなように飾る、または個室がない場合は、棚を一つ設けてもらってその棚の中で収まるように持つという折り合いをつけましょう。

このほか、押入の一部を利用させてもらって、引き戸を開けると、そこは趣

味のスペースなんて活用もいいかもしれません。

数少ないからこそ貴重であり、大切にすると思います。大量にありすぎるとその辺の石ころと同じような扱いをしがちになります。目で楽しむモノだけ飾り、残りは箱などにしまって、大切に保管するとよいでしょう。


「本・キャラクター物・洋服など特定のモノが多すぎる」タイプ

持つ数のマックスとカテゴリーを決める

世の中では、何かキャラクターやマニア向けの品が流行《はや》ると、次から次へと商品が出始めます。凝《こ》りだすと、買わずにいられません。

特にキャラクターものの場合は、カップやお皿などの食器から、ぬいぐるみなどの玩具製品、シールやボールペンなどの文房具、靴下、Tシャツといった衣類までにも及びます。

食器や調理グッズなどキッチンへの進出は控える、または、衣類は買わないなど持つカテゴリーを絞ることも大事です。子どもならまだしも、大人になって何もかもキャラクターや趣味のモノで揃えると、ちょっと周りの目も気になります。

そして、持つ最大数を決めること。棚に収まる分でもよいし、購入に使ってもよい予算でもいいです。自分の中でここまでにしようという限度を持って、収集していきましょう。

片づけられない人の言い訳迷言

家族が協力してくれないから

ご家族で暮らしていると、モノを整理してすっきりしたいと思う家族となんでもとっておきたい家族との意見の相違が見られます。

特にご夫婦で意見が違う場合の相談が多いです。８割がたは、奥様から「主人がモノを手放さない」という相談。

ご主人の手品グッズがマンションのトランクルームにびっしりと入っているお宅もありました。

過去に忘年会などで使用した商品で、もしかするとまた使うかもしれないので、と。奥様からすると、トランクルームに入れたい季節用品などが室内を占領している！ と内心ご立腹でした。

この手品グッズの家庭の場合は、トランクルームにしまいたいモノがあり、それが入らないために部屋が窮屈になっていること、困っていることを柔らかい口調で伝え、さらに全部処分させるのではなく今の半分とか1/3とかで一旦妥協させることです。

交渉のテクニックとしては、絶対に声を荒げないで、困っていることを伝える。そして、最初は全部なんとかならないかという話から始め、次に半分とかに量を減らすことを提案することで相手も折れやすくなります。

感情で怒らないように、何度も定期的にお願いするやり方は、思春期を迎えたお子さんへも使えます。

交渉にあたり最大に重要なのは、非協力的な家族のモノ、スペース以外は常にすっきりときれいにしておくことです。家族から指摘されないように予防線をしっかりとはっておきましょう。

答え　協力しやすい環境ですか？

第5章

片づいた暮らしが、自分を変える

モノをひとつ手放すと、ひとつ幸せがやってくる

年下の友人で、ずっと仕事や職場の人間関係で悩んでいる女性がいました。徹夜続きで、睡眠も食事もちゃんととれないほど多忙なため体を壊し、いったん仕事を辞めて実家に戻ったのです。体調も良くなり、落ち着いた頃、することもない彼女は、学生時代に出たままだった自分の部屋の片づけをゆっくりとしました。

すると、学生時代に行きたいと思っていた海外留学の資料が出てきたのです。片づいてすっきりとした部屋の中で、彼女の頭の中には、霧《きり》が晴れたように自分の今後の夢が導き出されたそうです。「海外で自分を試してみよう」と。

独り暮らしをしていたときは、忙しさのあまり片づけや掃除もろくにできませんでした。

散らかった部屋で暮らしていると自分に対して期待できない、状況は変えら

れないというような考えになりがちです。でも、部屋を引き払うときにその部屋をきれいにし、さらに実家の自分の部屋もきれいにした。

部屋をきれいにできたことが、自分では気づかないうちに自分への自信につながっていたのです。

片づいた部屋で決断したこと。以前の自分であったらくじけていたことも「絶対やり抜く」という意志で、今は異国の地でアルバイトをしながら言葉を覚え、学校で学び、本職であるデザインの仕事も増え、優しい恋人もできて充実した毎日を送っているそうです。本当に嬉しいことです。


また、キャリアがあって上司から信頼を受けて働いているHさん。彼女は、年下のマイペースな部下に何年も悩んでいました。いろんなメンタル本を読んだり、メンタル関係のセミナーを受講したり。

メンタルトレーナーから私を紹介してもらって、片づけセミナーに参加してくれました。私のセミナーに目からウロコだったようで、終了後、「家を片づけてください」と頼まれました。

訪れた住まいは、なかなかの光景でした。でも、本人のやる気が溢れていましたので、時間はかかるけれど休みの日に数時間ずつ、マンツーマンで話をしながら、一緒に片づけをするコースを勧めました。

そして、ある程度進んだ頃（本人はもう人を呼べると言っていました）に、その年下の部下のことについて話してくれました。「彼女は彼女なりに一生懸命やっているのに自分ばっかり働いてと思っていたのかもしれない」と自分が変わらないと何も変わらないということに気づいたと。

それで気持ちがラクになり、仕事をどんどん任せていくようになったら、その年下の部下も変わってきたと報告を受けました。

モノを手放して、心の負担も手放して、気持ちがラクになったHさん。その言葉を聞いて私は泣きそうでした。それまでに、仕事のことでいろいろと大変な話を聞いていたので、なおさら、その心の持ちようの変化にとても感動したのです。

子どもの頃から片づけが苦手だと言っていたHさん。最初は、私がやってみせていましたが、どんどん自らできるようになり、洋服をたたむのがとても上手だったので、それを褒めたらすごく喜んで、洋服をたたむことから片づけが進んでいきました。

部屋がどんどんきれいになるにつれ、「私もやればできる」というセリフがよく出てくるようになった頃、職場の悩みも彼女なりに解決できたようです。モノをどんどん手放すことで、その想いに執着しなくなることができたのです。その結果、人は人、私は私と思えるようになったのでしょう。

モノに執着しないということは、人にも、事にも、想いにも潔くできるということ。そして、モノ、人、事の大きな何かを1つ手放すことで新しいモノ、人、事が入ってきます。その新しく入ってくるモノ、人、事は、幸せも一緒に運んできます。

毎日の習慣にしてしまう。すると、一生モノの財産になる

私の周りにはお酒に強い人がたくさんいます。そういった人たちのほとんどは、朝目覚めたら家の玄関で寝ていた、玄関前で力尽きて倒れていた――と武勇伝をいっぱい持っていて、うらやましい限りです（笑）。

酔って意識がないのになぜ自宅へたどり着けたのでしょうか？　それは体が覚えているからです。習慣だからです。大人になって十数年ぶりなのに自転車にスムーズに乗れたり、スキーが滑れたりするのも体が覚えているからです。

それと同じように、**片づけも習慣になると面倒くさいとか時間がないとかというレベルではなく、自然にできてしまう**のです。面倒くさいから家に帰らない人とかいないでしょう？（たまにいるかもしれませんが）

また、やってみるということも重要です。自分ではできないと思い込んでいる人もけっこういます。

個人レッスンを受けていた女性で、大量のモノで溢れていた住まいが片づいてシンプルになったリビングを見て、ベランダの大きな窓のレースのカーテンが黒っぽいことに気づいたのです。カーテンは洗濯機で洗って、またそのまま干せばOKと教えてあげると、早速実践。洗濯中は、カーテンが汚れたら嫌だからと窓拭きも自主的にやっていました。

そして、洗濯が終わり元通りに吊るしたカーテンを見て、「きれい！」と喜び、さらに寝室も同じくやっていました。そのときに、「嬉しい！　私自分で、できたんだ」という言葉を聞きました。私にとって当たり前のことでもやったことのない、またはやれないと思っていたことができると、ひとつ自信がつくことなんだと実感しました。

たぶん、定期的にカーテンを洗う、窓を拭くということは、彼女の日常に組み込まれていくはずです。あの「きれい！」と感じた気持ちが、きっと残っているから。

朝起きたら顔を洗う、歯を磨くといったように、日常の習慣になればもう散らかることはありません。

苦手意識が自信に変わるとき

片づけをするということは、自分にとって必要なモノだけを残していくということ。モノを整理するということは、集中力と判断力が必要で、慣れていないと意外に難しいものです。これが継続できている人は潔いので、自分というものをしっかりと持ち、さらにアイデンティティが確立します。すると自信にあふれ、内面からの輝きがでてきます。

また、できなかった片づけが、できるようになったことでの自信もつき、自分が好きになれることにつながります。つまり、片づけによって心の持ちようが変わるのです。人は環境によっても気持ちが変動しますから、スッキリとした環境にいることはマイナスには絶対になりません。

人は苦手意識を持つと、そのこと自体が好きではなくなるので上手にやろうとはなかなか思えません。片づけも同様で、できない人は小さい頃から苦手で……とずっと、「私にはできない」という思い込みを持って生きてきたと思います。

それが、「玄関」を片づけて、ずっときれいであり続けている。あれ？　もしかして他もできるのかな？　と思うようになる。それで、リビングなり洗面所なりやってみる。少しずつでもやってみると、そこが片づいてくる。すると、弾みがつき、やる気になる。やる気になれば、苦手意識がなくなっているので、できるようになっているのです。

例えば、片づけという行為ができるとわかったら、他のこともできるような気がします。そして、できてしまうのです。苦手だ、私には、片づけは無理だというメンタルブロックが外れたからです。

たかが「片づけ」かもしれません。でも、ずっと自分にはできないと思っていたことができるということ、すっきりとしたきれいな環境で暮らすこと、よい習慣が得られたことの効果は、何にも代えがたい財産になります。

散らかっていると気が散る、という感覚を大事にしよう

学生のころ、テスト前になると机周りや部屋を片づけたり、模様替えをしたりした記憶がありませんか？

勉強に集中したいからです。でも、集中するために片づけよう——と思うのではなく、なぜか落ち着かないから片づけていたのです。当時は、理由はよくわからないけど、片づけていたということです。

今もそうです。私もいろんな仕事が重複して、返事を出さなければいけない書類や目を通さなければいけない資料などが1～2日であっという間に山積みになるときがあります。その状態で仕事をしていると、はかどらないのです。

それは、視線が定まらずに一つの仕事に集中できないから。今、目の前の原稿に目を通しているのに視界の片隅に違う書類が見える。すると「あれ、これ

はいつまでだっけ？」とそちらに気をとられてします。そして、その確認でカレンダーを見て、また別な確認作業に気づく。

気がつけば最初に目を通していた原稿はそのまま、途中で見つけた書類もそのまま、完璧に終わった仕事はなく、すべて中途半端です。

インターネットでの検索もそうではありませんか？ Yahoo!などのページから検索しようと思ったら、ちょっと気になるニュースが、広告が目に入ってそちらをクリックしている間に何を調べるのか忘れたとか、時間があっという間に過ぎた、なんてありませんか？

人は目に入ったモノを気にしてしまいます。集中したいのであれば、やはり余分なモノは視界に入らないようにするべきです。

どんなに忙しくても集中できないときは、いったん整理する時間をとります。そのような時間はもったいないと思うかもしれませんが、結果、整理した方が、効率がよくなるため絶対早く終わります。また、質のよい結果にもなります。

モノが増える＝お金が出ていくこと、と考えたことありますか？

先にいろいろ書いているので、なんとなく感じているとは思うのですが、モノが多いということは、いっぱい買っているということです。モノの自然発生は絶対にありえないのですから。

ヤセたいと言っている人の口から出る「そんなに食べていないのに太るのよね」というセリフがあります。それは、気づかないうちにたくさん口にしているのです。食べないで太るってありえませんから。

それと同じようにモノが増えていく、イコール買い物を多々しているのにほかなりません。特にカードで買い物をしている人はムダ遣いに気づきにくいのです。

モノが見つからなくて、同じものを買ってしまうムダ買い、あることさえ忘れて買っている、衝動買い……いろいろあります。また、モノの多い人は買い物をすること自体が好きであるという傾向もあります。プラス、たくさんの使わないモノを置いておくスペースに支払う家賃や住宅ローン。

とにかくモノが増えるということは、お金が出て行っているということ。ダイエットと同じですね。お金を払って甘いものや美味しい食事を食べて、太って、痩せたいからお金を払ってジムに通ったり、ダイエット食品を買ったりします。

片づけも、無駄なモノを買って、部屋をきれいにするためにゴミ処理代を払ってその買ったモノを手放す……。モノに対して二重の支払いですね。

今まで、使わない、着ないモノに対していくら払ってきたのでしょうか？

住まい方が美しい人は、美しい

私がこの仕事を始める前職の編集者時代と新聞の執筆連載で、さまざまな住宅に、取材に伺っていたときのことです。

住まいの環境というのかライフスタイルが、その人の生き様を通して外見に現れるということが感じ取れました。

それは、顔カタチやスタイルのことではなく、内面からにじみでたもの。よく年をとると人生が顔に出ると言われるように、暮らし方でも出てくるようです。

居心地の良い住まい造りをしている人は、とても穏やかな雰囲気を醸し出しています。その人と話をしていると居心地の良さを感じます。

住まいをきれいにするということは、きちんとした生活習慣が身についているということであり、その習慣が、きちんとした内面にさせているのです。茶道やお花を習っている人の仕草が自然と美しくなっていくように、毎日の暮らしが丁寧であると品というものが自然に備わってきます。

そして、自信がつくともお話ししました。その自信が外に現れて、佇《たたず》まいが美しくなっていきます。

このほか、衣服の整理をすることで、自分に似合うものを見つけ、きれいになっている女性が多くいます。私は、洋服を整理するときのアドバイスとして、自分が好きというよりも、人から似合うと褒められた服、自分が素敵に見える服を残すように言っています。

これは、自分がどんな洋服を持っているか把握しきれていること、厳選された数に絞っているからこそできることです。

客観的に似合う服を着ていると、また褒められます。褒められるとさらに洋服に気を使うようになり、鏡を見る回数も増え、さらに素敵になっていくのです。

思い出だから

「思い出」の品については、年代や家族構成、性別で考え方がさまざまですが、相談で多いのが、子どもの思い出の品と写真です。

私のセミナー後に声をかけてくださった60代の奥様。すでにお子さんは独立されてご夫婦2人暮らし。独立して住んでいない子どものモノが、当時いたままで埋まっている状態といいます。

詳しく伺うと、幼稚園の作品を始めとした小・中・高校生までの教科書やノートに至るまで全て保管しているそう。

モノよりも「子どもが頑張った証だから」で、何もかもが大事な思い出だということでした。

持ち主である子ども本人には、要らないモノでも、お母さんにとっては子どもの成長が自分の人生の全てに近いのかもしれません。

これからを大事なこととして、自分が夢中になれる趣味をもって忙しくなることをオススメしました。自分のことが楽しくなって、忙しくなればお子さんの部屋のモノに未練はなくなります。

もちろん思い出は大切です。ただし、「適宜残す」ことにしないときりがありません。写真は、同じようなアングルは１枚に絞る、写りの悪いモノは捨てるというように減らします。

家族の写真、特に亡くなってしまった身内の写真は、アルバムに閉じ込めてしまうよりも、最高の１枚を選び残し、リビングなどいつも視界に入るところに飾っておくことをオススメしています。

思い出、思い出となんでもとっておいても、今この瞬間も次には思い出ですよね。思い出よりも明日に向かって生きてみませんか？

答え　**形になっていないとダメですか？**

第6章

リバウンド知らずの、ちょっとしたヒント

「しまいこむ」と「整理」の違いを知っておこう

モノを「しまう」というのはどこか目に見えない場所に入れこむことであって、「整理」とは、秩序立てて収めるべき場所に置くことを意味します。つまり、「あれはどこにあるのだろう」と探している時点でそれは、しまいこんでしまって行方不明になっている状態です。

とりあえず収納スペースに入れこんで、扉が閉まればオッケーということをしていれば、いつも探し物をするはめになりますし、しまいこんだ奥や下のモノを出すときが大変になります。

お弁当で例えると、仕切りも使わずに弁当箱におかずを入るだけ詰めこんでフタをしたという感じになります。食べるとき、最悪ですね。

整理は、幕の内弁当です。一目でおかずの種類がわかり、食べやすく、目で楽しめますね。

モノの置き場所を頻繁に変えない

昨日までここにあったのに見つからないと思って、いつも探し物をしている住まいでは、モノの置き場所が毎回変わっています。

取り出しにくい、使う場所と合っていないなどの理由で、置き場所を見直すことはよいのですが、決めないで、昨日はここに、今日はここに置いておこうという行為はやめましょう。

特に家族皆で使うモノならそれぞれが適当に置くことで、完全に行方不明になります。

必ず、どんなモノにも出したらしまう（戻す）場所を確定します。

買うとき、もらうときは「しまう場所」を決めてから

買い物をしたり、もらい物をしたりするときに、「これは本当に必要だろうか？」「欲しかったモノか？」「置く場所があるのか？」等々考えることがありますか？

普通はそんなことを考えて買い物しないですよね。でも、モノが多くて、片づけられない人は考えるべきです。

モノは、家に持ち込めばその分増えるし、スペースを奪います。

例えば2日に1個モノをもらう、買う、すると、1年で約182個増えてしまいます。そう考えると大小さまざまでも結構な場所をとりますよね。

182個増えて、182個を手放せばプラスマイナス0となりますが、なかなかそうはいきません。意識しないとモノはどんどん家の中を占領してしまう

ということです。

お店に行って欲しいと思ったら一度家に帰る。翌日になってもどうしても欲しいと思っていたら、しまう場所を決めてから買いに行きます。たいていは、一晩たつと購買意欲はなくなっていますので、一晩、できれば2～3日は考えてみましょう。

また、粗品や景品など、欲しいとも思っていない、何かわからないモノは、もらわない。コンビニやスーパーでお惣菜、弁当を買ったら割りばしやフォーク、スプーンはもらわない（自宅で食べる場合）など、少しでも家にモノを持ち込まないクセをつけます。

ラベルを貼る

どこに何が入っているのか、しまってあるのかを簡単にわかるようにするためには、ラベルを貼るのが一番です。

特に中が見えないような収納、引き出し・箱・透明ではない瓶などにしまったモノの名前を貼っておくと自分も家族も一目でわかります。

モノの置き場所を決めたはいいけれど、全部覚えていない、覚えきれないという人は、このラベルを貼るというやり方がぴったりです。

✧上から見て中身がすぐわからない容器は、ラベルを貼って一目でわかるようにします。

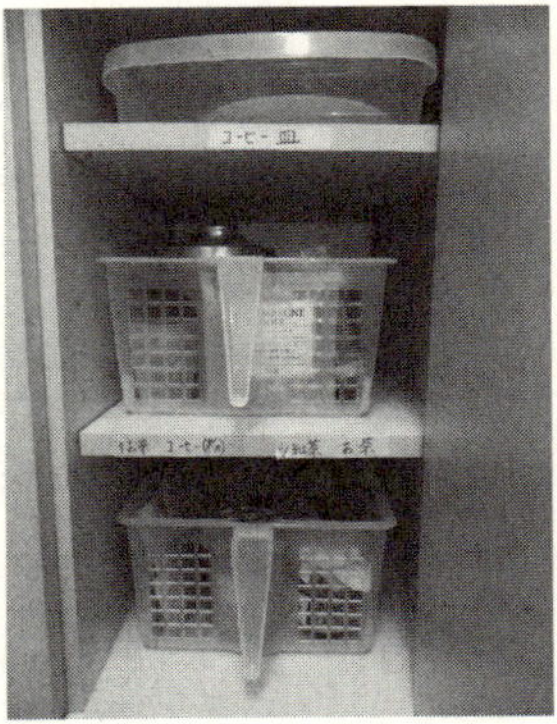

✧職場の各棚に何が入っているか全員すぐにわかるようにラベルが貼られている。

✧中が見えないものやシールが直接貼れないモノは、タグにシールをつけてぶらさげる。

✧透明でも、中味が似た色だったり、間違えやすいモノは、ラベルを貼って管理する。

忙しい人ほどシンプルなシステムにしておく

フルタイム以上に忙しく、家にいる時間がなかなかとれない人には特に、ただ片づけてきれいにするのではなく、時間がないなりに持続できるシステムを取り入れる必要があります。

片づけにシステム?!　と思うかもしれませんが、仕事と考えてみてください。仕事の仕組みはシンプルであればあるほど、作業が早く、ミスも少ないです。だから片づけも同じようにシンプルにできるように工夫すること。

シンプルにするためには、少ないモノで生活ができるようにすること。ホテルのような暮らしをイメージしてください。家にいる時間が少ないのですから、余分なモノを持っていても使うことはありません。日々使うモノだけを持つ。これに限ります。

例えば、時間がなく、面倒くさがりの人は、衣服を1枚1枚きちんとたたんでしまう引出し式の収納家具を選ぶのではなく、幅広のクローゼットを用意してポールにどんどん掛けるようにする。

下着や靴下は、種類を探し出しやすいように仕切りのついた収納にしまう。カバンは1個1個入る収納グッズに入れる。それも出し入れしやすいよう開閉がないオープンなタイプに。アクセサリーは身に着ける場所（鏡の前など）に使いやすく掛ける、仕分けるなどしておきます。

化粧品やヘアケア用品、洗剤などは次々と新商品を購入すると増えていくので、自分が気に入っている商品だけ購入する。同じ用途のモノを多種類持たないこと。

ゴミ箱は、各部屋に置いておく。買い物をした紙袋は、すぐにゴミ箱へ。ダイレクトメールも見たら捨てる、品物が入っていた箱もすぐつぶして捨てる、など考える間もなく、行動できるようにゴミ箱の配置を考えます。ゴミ箱が離れているとそこでまた、後で捨てようと放置してしまいます。

散らかっているモノを見て、どうして自分はこれをしまえないのだろう？と考えます。

そこで、面倒な理由がでてきたら、どうすれば面倒ではなく、戻せるのかを自分がラクな範囲でやってみます。いきなり完璧にやろうとした場合、無理が生じるので、はじめは手抜きでよいです。

洋服をいつもソファやダイニングチェアなどその辺りに掛けている人は、せめてハンガーに掛けて、その辺にひっかけておくことからでもいいです。ハンガーに掛けるという行動だけでも進歩です。ハンガーに掛けることで、何着かまとまったら、そのままクローゼットへ掛けることで片づきます。

まず、床や家具などの上にモノを置かないですむ簡単なことから始めてみましょう。

自分の好きなモノわかっていますか

いつも気に入って持ち歩くバッグやポーチ、よく着る衣服ってありますよね。そのモノに対して、新しい品と交換しようとはあまり考えません。気にいったモノがあると飽きるまで使い続けます。すると、その種類は買い物をしないので、モノが増えません。

できるだけ自分の好きなモノを身近に揃えると、モノの購入、入れ替えがなく、増えないので片づけはラクです。

買い物をするときは、間に合わせで買うのはなく、「これだ！」と思える好きなモノを選んで買いましょう。そのモノが見つかるまで買い物の時間を楽しむことができます。長い時間をかけて見つけたモノは、大事にするのも人の心理です。

ぜひ、自分好みを見つける買い物を。

「とっておくモノ」は厳選する

「捨てられないのです」と言う人に、話を聞くと共通点があります。

それは、幼少時代から母親または父親、同居していた祖父母が、なんでも「もったいない」と、とっておいたと言うことです。

昔ですから、お菓子の入っていたきれいな缶や包んでいたリボン、包装紙などさまざまなモノをとっておき、さらに着物や衣服なども親戚などに順番に回していたため大事にしていたのだと思います。それを見て育ってきたこと、また、モノは大事にしなさい、もったいないなどと言われた記憶があるはず。

その躾《しつけ》がよくも悪くもずっと残っているために、必要なくても「とっておかなくては」という意識が潜在的に働いているようです。

こんな女性もいました。

子どもの頃に、母親が毎晩家計簿をつけていたのをよく覚えていると言います。その姿で印象に残っているのが、光熱費の明細兼領収書を1年分保管していたことだそうです。だから、同じように自分も明細書を取っているのだと話してくれました。

現在、銀行口座引き落としなので明細は保管しなくてもよいのに、無意識に保管してしまっていたというのです。光熱費の明細は、1年分とっておくのだという刷り込みができてしまっていたのでしょう。

確かにモノのない時代は、包装紙1枚も簡単に手に入らない状況でしたから、モノの一つひとつを大切に使っていました。誰もがそれを当たり前のようにしていました。そして、家の中にモノが少ない環境だったので、大事にとっておいてもモノが溢れるということもありませんでした。

それと比較して現在は、何でも安く手に入るため、欲しいモノをどんどん購入するので、なんでもとっておいては家の中がモノでいっぱいになる時代です。

祖父母や親の世代とは物質的価値が異なっているため、「とっておく」という呪縛から離れなければなりませんね。

物質的には十分豊かになっている現在、これからは精神的な豊かさを求めて「とっておく」モノを慎重に選ぶ時代になっている——と思ってください。

今後どうしたいのか自分ではっきり決める

片づけを成功させる大事な要素であるモチベーションは、部屋を、住まいを片づけたいのか、モノがもったいないからこのまま暮らすのか、で決まります。面倒くさいとか、暖かくなったらとか、まとまった時間がとれたらとかは決意次第でどうにでも考えが変わります。

「片づけたい」のか、「このままでいい」のか。

決めましょう。

そして、前向きになったら、徹底的にモノを手放す意志を固めましょう。

「片づける」決心をしたら、モノを手放すことをよいことと捉えましょう。

モノを減らさないことには片づけは始まりません。

今までの、「もったいない」観念を捨てて、自分の大切な時間を確保するために必要な行動だと考えをシフトさせます。本当に悪いことではないのですから。

お金持ちでも、貧しくても、子どもでも、お年寄りでも誰にでも平等に与えられている唯一無二のもの。それが、「時間」です。いつ使うのかわからないモノのために日々その時間を費やすことは、シンプルに暮らしている人の倍近く時間を失っているに等しいのです。

これから有意義に時間を活用するために、使わないモノはどんどん手放していきましょう。

高かったから

キッチンの片づけに伺った家の、棚の奥から健康飲料が半ダース出てきました。しかし、賞味期限は、１年近く前に切れています。もちろん処分すると思いきや、奥様は、「でも、高かったから…」と言います。

「じゃあ、飲みますか？」と聞くと、「かなり賞味期限切れていますよね。でも、１本6,000円もしたし……。ちょっと考えます」ということで、奥様の判断にまかせて、そのまま残してきました。

後日きれいになったキッチンに残った健康飲料の添加物無しという表示を見て、思い切って捨てたそうです。賞味期限のある食品だから割と簡単に判断できたのかもしれません。

では、腐らないモノの場合はどうなのでしょう。

働くバブル世代の女性のクローゼットを一緒に整理していた際に、バブル時代のスーツが何着か掛かっていました。「懐かしい～」とその女性と感嘆の声を上げて取り出し、「手放しますよね？」と一応確認したところ、「でも、ブランドものだし」との返事。

「肩パッドも入っていますし、造りもボディコンですけど、着ますか？」と聞くと、その女性は大笑いしながら「今はこんなデザイン絶対に恥ずかしくて着られない。ファスナーも閉まらないからとっておいても出番は絶対ないわね」と決心してくれました。

気持ちはわかります。だって、買ったときは高かったのですからね。しかし、いくら当時高くても預金ではないので、利子もつかなければ、売ろうにも逆に今は処分代をとられるかもしれません。

モノで元をとろうという考えは捨ててしまいましょう。お金がもったいないと思うのなら、無駄買いしないことです。

答え　値段を基準にするのをやめませんか？

おわりに

祖母が主婦の鑑のような人だから、私も片づけが元から得意なのでは、と思う読者の方もいらっしゃるのではないでしょうか。

祖母がきちんとしていても、母もできていても、大人になって実家を出てからの私は、じつはモノが溢れた住まいで暮らしていました。

週末はいつも片づけに追われ、収納を考えている。なぜなのだろう？　せっかくの休みなのに……と。収納に関する疑問は、そこから始まりました。

理論を学んでいくとなんのことはない、モノを手放さないから、たくさんのモノの維持管理に日々時間をとられていたのでした。

きれいな住まい作りは、その家のことをする主のもの。私が主となったときにはできていませんでした。大人になれば自分の家のしきたりは、自分で考え、自分でつくっていくしかないのです。
今となっては、家の中に不要なモノはないため、家事もスムーズですし、探し物もない。ムダな買い物もしなくなり、モノに関する時間をとられないということが、こんなに快適なことなのかと日々実感しています。

その素晴らしさを伝えたくて、セミナーで話をして、受講された皆さんから「すぐに実行して、スッキリした！」という感想を聞いてとても嬉しく思いました。しかし、日程の都合や距離の関係で受講できない方も多々います。そのような人たちにも片づけをしたくなる気持ちになってもらいたいと、この本を書いてみました。

たかが片づけと思うかもしれません。
だけど、実際に片づけを手伝った人の内面からの変わりようをたくさん見てきた私は、何かに悩んでいる、つらい、なんとかしたいと思った人には、絶対にやってほしいと思っています。

今回の出版にあたり、ご尽力くださった糸井浩さんと編集の手島智子さん。その機会をくださったブランド戦略コンサルタントの村尾隆介さん、スタープランド㈱のスタッフの皆さん。本当に感謝しています。この場を借りて御礼を申し上げます。

このほか、イラストを描いてくれた友人のKANAE SHIBATAさん、私と一緒に働いてくれているスタッフ、セミナー受講者の皆さん、片づけに伺った方たち、応援してくださったたくさんの方々、ありがとうございます。

それから、仕事ばかりで一緒の時間もなかなかとれないのに、わがままを言わずに、私にダメ出しをするしっかり者に育ってくれた大切な娘。そして、日頃は言えませんが、こうして私が働けるのも、娘の世話をしてくれる母がいたからこそです。ありがとう。

たくさんの方々に支えられて、本書は実現しました。

最後になりますが、片づけができるということは、人生の財産でもあります。本書をお読みくださった皆さんには、その素晴らしい財産を手にして、充実した生活を送っていただけると思っています。

広沢　かつみ

青春文庫

玄《げん》関《かん》から始《はじ》める
片《かた》づいた暮《く》らし

2014年12月20日　第1刷

著　者　広《ひろ》沢《さわ》かつみ

発行者　小澤源太郎

責任編集　株式会社プライム涌光

発行所　株式会社青春出版社

〒162-0056　東京都新宿区若松町 12-1
電話 03-3203-2850（編集部）
03-3207-1916（営業部）
振替番号　00190-7-98602

印刷／大日本印刷
製本／ナショナル製本

ISBN 978-4-413-09610-2

ほんとうのあなたに出逢う　青春文庫

わかっていてもやっぱりうれしい
ほめ言葉辞典

話題の達人倶楽部［編］

思わず笑みがこぼれちゃう
ほめ方上手の秘密のキーワードとは？
ひとつ上のモノの言い方が身につくフレーズ集！

(SE-608)

小さなことに落ち込まない
こころの使い方

晴香葉子

会社に行きたくない、人間関係に疲れた、
誰かに相談しても解決できないとき…あなた
の気分を上向きにしてくれる行動のヒント！

(SE-609)

玄関から始める
片づいた暮らし

広沢かつみ

片づけが苦手なら、まずは玄関だけ
キレイにしてみませんか？
散らかしタイプ別のヒント付き

(SE-610)

病気にならない
夜9時からの粗食ごはん

幕内秀夫

この食べ方なら、胃もたれしない！疲れない！
——帰りが遅い人、外食がちな人…
どんな人でもラクラク続く粗食法

(SE-611)